P9-EJK-847

EL DISCURSO DIALOGICO DE *LA ERA IMAGINARIA* DE RENE VAZQUEZ DIAZ

Elena M. Martínez

EL DISCURSO DIALOGICO DE *LA ERA IMAGINARIA* DE RENE VAZQUEZ DIAZ

editorial BETANIA
Colección ENSAYO

Colección ENSAYO

Portada: *La Jungla,* de Wilfredo Lam, 1943.
Collection, The Museum of Modern Art, New York.

Editorial Betania.
Apartado de Correos 50.767
28080 Madrid. España

I.S.B.N.: 84-86662-87-7.
Depósito legal: M-34761-1991.

Imprime: Artes Gráficas Iris, S. A.
Lérida, 41
28080 Madrid. España.
Impreso en España - Printed in Spain.

INDICE

PARA K.

INTRODUCCION

La novela *La era imaginaria* del novelista, poeta y cuentista René Vázquez Díaz, es una contribución significativa, no sólo a la literatura cubana, sino a la literatura en lengua española.

La era imaginaria articula un intrincado sistema de ideas, reflexiones, razonamientos o discursos sobre distintos aspectos: la literatura, la escritura, la lectura; las relaciones entre las clases sociales, los sexos, la posición de la mujer, las organizaciones sociales, las instituciones, la autoridad, el poder. Lo interesante es que todas estas reflexiones o discursos están articulados de forma dialógica, es decir, contrapuntística, una reflexión es seguida por otra y vehiculizada a través del humor, lo cual evita que se instalen estos discursos como centros, como verdades absolutas o dogmas.

Los personajes principales de la novela —supuestamente niños— Nicotiano y Repelo son ideólogos, portadores de ideas que, en su interacción con otros personajes, ponen a prueba y confrontan las ideas dando lugar a un diálogo. Estas reflexiones filosóficas están imbricadas con anécdotas del pueblo de Villalona. La novela cuenta las andanzas de los niños, sus juegos, inquietudes, sin soslayar sus relaciones con sus respectivas familias. Pero la creación de los personajes y las anécdotas que se cuentan están en función de distintas ideologías. Lo que interesa no son las anécdotas de la novela, sino el universo de ideas que sustenta cada situación.

La novela marca una trayectoria, una evolución en la vida de los niños Nicotiano y Repelo, el descubrimiento de la sexualidad, entre otras cosas, y la separación de los niños quienes seguirán distintos caminos y destinos: Repelo se queda en Villalona, Cuba, y Nicotiano sale del país con su tía Ulalume. La novela da entrada a anécdotas de sucesos en el pueblo de Villalona, celebraciones, juegos, muertes, historias amorosas y problemas familiares. En la novela, a pesar de que no se privilegia la familia como institución, aparecen distintas familias: la de Repelo, la de Nicotiano, la de Yoya, miliciana y jefa del barrio, y la de Romo Marzo. La familia de Repelo está compuesta por sus padres y su hermana Violita; la de Nicotiano por su padre Félix y su tía Ulalume. La madre de Nicotiano murió siendo él niño y en el pueblo reverberan comentarios sobre la vida de ella. Félix y Ulalume en los tiempos prerrevolucionarios tenían un burdel, lo cual les ha dado una descarnada reputación. La representación de la familia de Yoya (compuesta por Mediopeje, Pirulí y el hijo mayor) está sujeta a procedimientos del humor. En la novela se destaca la capacidad de su autor al presentar la historia del pueblo, llena de episodios jocosos que divierten junto con preocupaciones serias, filosóficas.

En *La era imaginaria*, Vázquez Díaz muestra gran dominio, tanto de la lengua española como de recursos y técnicas narrativas que mantienen el interés del/de la lector/a y hacen de la novela una lograda creación literaria.

En este libro me propongo estudiar cuatro de los discursos (reflexiones, razonamientos) de esta novela: el metaficcional, es decir, el que presenta ideas sobre la literatura, la lectura, el quehacer literario; el feminista, el sexual y, por último, el humorístico. En este trabajo uso, de forma parcial y selectiva, muchas de las ideas y conceptos literarios desarrollados por el crítico ruso

Mikhail Bakhtin a través de sus estudios, *Problems of Dostoevsky's Poetics, The Dialogic Imagination* y *Rabelais and His World,* principalmente. La segunda parte de este libro consta de una conversación con Vázquez Díaz.

EL DISCURSO DIALOGICO DE *LA ERA IMAGINARIA* DE RENE VAZQUEZ DIAZ

La era imaginaria, primera novela del cuentista y poeta cubano René Vázquez Díaz, se propone ante el/la lector/a como un espacio de transformación y orquestación de voces que interactúan representando un universo dominado por el dialogismo; es decir, el proceso de interacción entre distintos significados que logra la relativización del lenguaje y, en última instancia, la del discurso, despojándolos de su fuerza autoritaria y absoluta. Su universo novelesco es un intrincado sistema de voces, de diálogos a distintos niveles. En ese universo dialógico y polifónico los discursos no se instalan como centros de "verdades" sino que, precisamente, impiden la instalación de un centro o de un discurso monológico. Así el sentido de la obra nace del diálogo y la confrontación entre todos los discursos que en su oposición pugnan y se alteran entre sí.

Este riguroso sistema, fundado en la heteroglosia y el dialogismo, hace de la novela material adecuado para la aplicación de la propuesta crítica del formalista ruso, Mikhail Bakhtin[1]. Me propongo en este trabajo

---

[1] Mi estudio parte de la teoría de Bakhtin sobre el discurso novelístico, a pesar de que el autor en la conversación que aquí se publica me señaló: "Yo no he leído a Bakhtin. Y no lo voy a leer tampoco. Tengo miedo de que me influya negativamente. Seguiré concibiendo y estructurando mis ficciones de acuerdo a las imprecisiones de mi intuición".

Los términos que uso, dialogismo y heteroglosia, Bakhtin los definió así: "Dialogism is the characteristic epistemological mode of a world

estudiar la diversidad, riqueza y complejidad del microcosmos novelesco de Vázquez Díaz a través del estudio de cuatro discursos: el metaficcional, el feminista, el sexual y el humorístico.

Bakhtin, a través de sus estudios, propone la autonomía del texto novelístico y estudia el discurso novelesco como género carnavalizado que nace de la confrontación y el diálogo[2]. De sus estudios emerge la noción de polifonía, característica del discurso ficcional, que supone el carácter autocrítico y subversivo toda vez que transgrede el monologismo de la verdad institucionalizada. La polifonía es, entonces, un enfrentamiento de voces que queda sin posibilidad de resolución, que se opone al monologismo de la épica y de la ficción tradicional (discursos en los que una voz unificadora implanta un centro)[3]. Bakhtin, Julia Kristeva y Milan Kundera han estudiado la novela como género que se funda en la posibilidad de muchos discursos y cuya característica principal es la apertura[4]. Sobre la novela Bakhtin afirmó lo siguiente:

---

dominated by heteroglossia. Everything means, is understood, as a part of a greater whole -there is a constant interaction between meanings, all of which have the potential of conditioning others. Which will affect the other, how it will do so and in what degree is what is actually settled at the moment of utterance" (*The Dialogic Imagination,* p. 426).

"Heteroglossia. The base condition governing the operation of meaning in any utterance. It is that which insures the primacy of context over text. At time, in any given place, there will be a set of conditions —social, historical, meteorological, physiological— that will insure that a word utterred in that place and at that time will have a meaning different than it would have under any other conditions; all utterances are heteroglot in that they are functions of a matrix of forces practically impossible to recoup, and therefore impossible to resolve. Heteroglossia is as close a conceptualization as is possible of that locus where centripetal and centrifugal forces collide; as such, it is that which a systematic linguistics must always suppress (*The Dialogic Imagination,* p. 428).

[2] Mikhail Bakhtin, *The Dialogic Imagination,* trad. de Caryl Emerson, Austin, Texas: University of Texas Press, 1981 y *Problems of Dostoevsky's Poetics,* trad. Caryl Emerson, Minneapolis: University of Minnesota Press, 1984.

[3] Ver Z. Nelly Martínez, "El carnaval, el diálogo y la novela polifónica". *Hispamérica,* 6-7, 1977-78, pp. 3-21.

[4] Julia Kristeva, *El texto de la novela,* trad. Jordi Llovet, Barcelona: Editorial Lumen, 1981.

> The novel, after all, has no canon of its own. It is, by its very nature, not canonic. It is plasticity itself. It is a genre that is ever questing, ever examining itself and subjecting its established forms to review *(The Dialogic Imagination* 39).

La novela es un género que usa distintas estrategias y sus unidades estilísticas heterogéneas se combinan para formar un sistema artístico. Todo en la novela tiene que ver con sistemas, el lenguaje de la novela es un sistema de lenguajes, una diversidad de discursos sociales. El formalista ruso puso como requisito para la novela la heteroglosia social y la variedad de voces individuales.

Bakhtin estudia en *The Dialogic Imagination* la conjunción del tiempo y el espacio, es decir, lo que él denomina cronotopo, en la obra literaria y en particular en distintas épocas del desarrollo de la novela europea. En *La era imaginaria* se representan dos espacios: el real, familiar, objetivo; y el simbólico. En el espacio real se representan tanto interiores como exteriores, pero se privilegian los primeros, entre ellos: la casa, la escuela, el hospital. Cada uno de los espacios representados se caracteriza por un lenguaje específico y en ellos se da una identificación entre personaje, acción que lleva a cabo y espacio. El lenguaje que se usa reitera los cambios socio-políticos, la pujanza por constituir un lenguaje nuevo, reiterando así el dialogismo de la novela.

El espacio interior de la casa de Nicotiano tiene valor simbólico. En el capítulo III la casa se describe cuidadosamente: espaciosa, con muchas "zonas de penumbra", las ventanas estaban siempre cerradas y se abrían solamente cuando Ulalume venía a hacer la

---

Milan Kundera, *The Art of the Novel,* New York: Harper and Row Publishers, 1986.

limpieza. Es un espacio que recoge el pasado y el presente, en él había vasos de todos tipos y formas que habían pertenecido al burdel de Ulalume y Félix; se mezclaban copas de la más selecta factura a las más vulgares y "dormían un sueño empolvado tal vez como nostalgia del burdel..." (50). La casa de Nicotiano es, por excelencia, un mundo de heteroglosia y polifonía en el que hay confusión de gustos y tendencias. En la casa misma hay contenidos otros espacios: el cuarto de Nicotiano, el de Félix y el de la madre. En el cuarto de Nicotiano hay un caballo, en cuyo vientre hueco el padre guarda sus libros; es un lugar al que el niño no tiene acceso y que el padre guarda con gran celo. El cuarto de Félix y el de la madre de Nicotiano, el cual por decisión de Félix fue clausurado después de su muerte "...en silenciosa declaración que desde ese momento aquel cuarto no existiría" (52), son otros de los espacios que permanecen cerrados y vedados para el niño. El cuarto de la madre permanece inaccesible, prohibido, y tiene muchas connotaciones afectivas; en éste el tiempo no parece pasar al conservar todo como lo tenía la madre del niño. El uso de estos lugares conocidos y familiares —tanto para los personajes como para los lectores— por un lado refuerza el efecto de realidad, pero por otro, al someter a estos lugares conocidos a una representación distinta, el/la lector/a tiene que reconsiderar lo que lee. Los cambios en la vida de Nicotiano, que se presentan en el penúltimo capítulo, se manifiestan en los cambios físicos de la casa. Al entrar Soledad a la vida de Nicotiano, la casa cambia totalmente de aspecto, se abren puertas y ventanas y "el sol tocó rincones que durante años permanecieran en penumbras" (230).

La escuela, segundo o tercer hogar de los niños, como muchos de los espacios, tiene una carga histórica, alude a dos momentos: el antes y el después de la revolución. La escuela fue construida en un solar yermo donde durante medio siglo hubo una valla de gallos.

En muchos momentos se da vinculación entre el espacio, el personaje y la situación. Hay cierta identificación entre la descripción que se da del cuarto del Tagirote, cuando los niños lo visitan antes de su muerte, y su condición de deterioro físico; el cuarto es descrito como pequeño y oscuro.

No hay muchas descripciones del pueblo; al final de la novela se dice que es un pueblo de siete calles y esto aparece en un contexto humorístico (cuando regresa el hijo de Yoya de la Unión Soviética el narrador dice que el muchacho no podía recordar la localización de las calles). En el capítulo XIX aparece contraposición entre el aquí (el pueblo de Villalona) y el allá (Moscú). Esta contraposición espacial refleja el cambio de ideologías lo que implica que se ha reemplazado la metrópolis norteamericana por la soviética. Estas alusiones espaciales por un lado contrastan épocas y son una clara referencia a las transformaciones políticas, sociales y económicas sufridas a partir de la revolución y, por otro, son una clara manifestación de la pedantería de aquéllos que al pasar algún tiempo en la "metrópolis" rechazan y reniegan de lo suyo [El muchacho recién llegado suspira y afirma: "Es que Moscú es inmensa"... (234)].

Entre los exteriores se privilegian: el campo, las calles, el mar. El espacio exterior sirve para representar los encuentros amoroso-sexuales. Los espacios exteriores en la novela son espacios de libertad en los que parecen transgredirse las leyes sin que los personajes sientan miedo a ser castigados por la transgresión. El primer encuentro de Repelo y Candilita se da en la Bahía del Muerto y es aquí donde, por primera vez, le dan rienda suelta a sus deseos. También en el campo abierto se da el encuentro de Nicotiano y Soledad. En ambos casos se describe la naturaleza con gran sensualidad y a tono con los sentimientos y deseos de los personajes: "Las noches tenían allí un embrujo distinto, las luciérnagas describían jeroglíficos en lo oscuro y se sincronizaban con el plenilunio" (228).

Otros espacios tienen valor simbólico: el burdel, el carnaval y el espacio de los sistemas literarios, matemáticos y artísticos. El burdel y el carnaval son espacios simbólicos porque en ellos operan reglas distintas y ambos aluden a una transformación o cambio sintetizado en la frase que sirve de "leit motiv" y que aparece en el primero y el último capítulo: "Mutatis Mutandis". Bakhtin y, posteriormente, Kristeva han estudiado el carnaval como mutación y han establecido la relación que éste tiene en el surgimiento y desarrollo del discurso novelesco. Ella afirma: "El discurso del carnaval constituye el único discurso situado históricamente en el preciso momento del paso del símbolo al signo"[5]. En *La era imaginaria*, carnaval y burdel textualizan el cambio revolucionario; ambos son espacios de mutación, cambio, transformación (mientras el discurso del carnaval y el burdel no son oficiales sino que, precisamente, burlan la ley y están encadenados por la ley de la transgresión, una anti-ley, el discurso revolucionario se institucionaliza, se oficializa):

> La música los enardecía —fragorosos tambores, gangarrias, trombones— llevándolos a un éxtasis que convertía sus conversaciones, gesticulaciones, libaciones, cuerpos y ropas, en un mundo de leyes propias *que usurpaba* el mundo ya creado del parque... (44).

El significado de la frase que los niños repiten, "Mutatis Mutandis", está relacionado con el motivo del carnaval y de la revolución. Según Kristeva, en el

[5] Julia Kristeva, *El texto de la novela*, p. 337.

carnaval la máscara funciona como marca de alteridad, mutación y rechazo a la identidad, supone un espacio quebrado, un mundo al revés[6]. La producción del discurso novelesco de *La era imaginaria* imita ese mecanismo de transformación y el discurso surge y concluye con el motivo "Mutatis Mutandis".

El espacio de la literatura y la pintura aparecen representados en el texto. La novela funda un espacio metaficcional donde se reflexiona sobre la producción, el lenguaje, la ideología y la recepción del texto. La novela incluye una reflexión sobre algunos aspectos de su propia creación: explora las posibilidades de la ficción a través de la ficción. Proceso que se ha conocido como metaficción y que ha sido estudiado por Robert Scholes, Robert Alter, Linda Hutcheon, Lucien Dallenbach, Paul Ricouer y Patricia Waugh. Esta última explica el término de esta forma:

> Metafiction is a term given to fictional writing which selfconsciously and systematically draws attention to its status as an artefact in order to pose questions about the relationship between fiction and reality. In providing a critique of their own methods of construction such writings not only examine the fundamental structures of narrative fiction, they also explore the possible fictionality of the world outside the literary fictional text[7].

La metaficción plantea ciertas interrogantes a través de la exploración formal y exhibe su proceso de construcción. Esta estrategia tiene que ver con distintas convenciones de la novela, es decir, juega con las convenciones de la lectura y al hacer esto supone la relativización de su discurso. Bakhtin se refirió a este proceso como el potencial dialógico de la novela. La

[6] Ver Julia Kristeva, *El texto de la novela*, p. 234.

[7] Patricia Waugh, *The Theory and Practice of Self Conscious Fiction*, London and New York: Methuen, 1984, p. 2.

metaficción, precisamente, hace explícito este potencial, y es la razón por la cual me interesa: no sólo provee a los novelistas y a los/as lectores/as un mejor entendimiento de la estructura narrativa de la ficción sino que también provee modelos para entender la experiencia contemporánea del mundo como artificio, como sistema, y establece una oposición al lenguaje de la novela realista que ha sostenido y respaldado una visión objetiva de la realidad. La ficción tradicional se ha transformado por una búsqueda de la ficcionalidad. *La era imaginaria*, como obra de metaficción, sitúa su cuestionamiento dentro de la misma forma de la novela.

La novela de metaficción rechaza la idea del autor como figura trascendental, como figura portadora de un discurso monológico, y como sucede en *La era imaginaria*, muestra que el autor no es sólo un concepto producido a través de textos previos y existentes sino que lo que se entiende como "realidad" es una construcción mediatizada; la novela examina las convenciones del realismo. Sin embargo, no rompe con todas sus convenciones sino que las confronta, enmarcando los procedimientos en la construcción del mundo real y de las novelas. Linda Hutcheon argumenta que la narrativa metaficcional o narcisista no debe ser excluida del código mimético y, por el contrario, su planteamiento hace la diferenciación entre la imitación del producto y la imitación del proceso de producción; a este segundo tipo de imitación es al que ella le dirige la atención. El punto de partida de Hutcheon amplía el concepto tradicional del acto mimético y pone en crisis las concepciones establecidas por la novelística llamada realista y, lejos de perpetuar la idea de que lo que leemos tiene carácter referencial y unívoco, presenta el carácter problemático de la comunicación literaria:

> In this light metafiction is less a departure from the

> mimetic novelistic tradition than a reworking of it. It is simplistic to say, as reviewers did for years, that this kind of narrative is sterile, that it has nothing to do with "life". The implied reduction of "life" to a mere *product* level that ignores *process* is what this book aims to counteract[8].

En *La era imaginaria* hay continuas referencias al proceso de escritura, al lenguaje y a la ambigüedad que éste y el acto de comunicación literaria implican. El arriesgado juego de los niños —el volar en un planeador que lleva inscrita la frase "Mutatis Mutandis"— funciona como metáfora del proyecto de escritura, como símbolo del riesgo que este quehacer supone. La novela comienza: "Es una lástima que esto no sea un libro" (11). Paradójicamente la frase negativa se usa para afirmar: esto es un libro. La frase lejos de negar la existencia de la novela como artificio, la reitera. Los personajes insisten en que son reales y no como los de los libros de ficción. En el primer capítulo de la novela se evoca la empresa de Don Quijote, el volar en el aura tiñosa, recuerda el deseo de Quijote de conquistar otros mundos. Los niños, Repelo y Nicotiano, como Quijote, consumidos por la lectura literaria emprenden una aventura. Con esta empresa ellos se proponen "hacer realidad" su sueño de volar hacia el mar. Este capítulo se hace eco del lugar común de contraposición entre la tierra, lo que le pertenece al hombre; el mar, símbolo antiguo de libertad, inmensidad. A un nivel es un juego infantil, pero a otro es un símbolo muy antiguo, y una metáfora de la incertidumbre de la literatura. En este mismo capítulo se asocia la poesía y la capacidad de elevarse ("Hay algo de poesía en eso —había comentado Nicotiano al saber la esperanza de su amigo— he leído que la poesía consiste en la certidumbre de que algo *ha*

[8] Linda Hutcheon, *Narcissistic Narrative. The Metafictional Paradox*, London and New York: Methuen, 1985, p. 5.

de elevarse bajo el influjo de las palabras") (13)[9]. El volar, como la literatura, conlleva riesgo. Maurice Blanchot en *The Space of Literature* y *The Gaze of Orpheus* compara el riesgo que supone el acto de Orfeo con el riesgo que conlleva la literatura. Equipara el acto de la escritura con el voltearse de Orfeo, quien guiado por el deseo todo lo arriesga[10]. Al finalizar el capítulo III, Nicotiano y Repelo intentan volar. Aquí aparece otra vez la idea de riesgo, es decir, la literatura supone un riesgo y es ése el que precisamente resulta estimulante: "Si esto fuese un libro —dijo Nicotiano— muy bien valdría la pena seguir leyendo" (60). Los niños se comportan como si estuvieran en un momento de éxtasis intelectual: Nicotiano está enervado y ausente. Y Repelo subraya otra vez:

> ... si no fuésemos Repelo y Nicotiano de carne y hueso sino un simple *cuento* ideado por alguien que, además, se sentó a escribir el cuento, entonces podríamos ahora mismo saltar unas páginas y enterarnos del desenlace de nuestras acciones, y del destino del Aura Tiñosa (14)[11].

Más adelante, los niños se refieren a cuentos de hadas y, es interesante que se refieran a ese tipo de ficción y no a otro. El cuento de hadas supone un mundo idealizado, es un universo monológico donde la verdad y el bien se imponen, es un universo cerrado que termina siempre con el restablecimiento del orden y la felicidad. Ese universo cerrado se contrapone al universo abierto y dialógico de *La era imaginaria*.

Más adelante, los niños definen la realidad por la

---

[9] El énfasis ha sido añadido.

[10] Maurice Blanchot, *The Gaze of Orpheus and Other Literary Essays*, trad. Lydia Davis, New York: Station Hill, 1981, pp. 99-104. Y *The Space of Literature*, trad. Ann Smoc, Lincoln, Nebraska: University of Nebraska Press, 1982.

[11] El énfasis ha sido añadido.

ficción, en lugar de como ha sucedido tradicionalmente al definir la ficción por medio de los convencionalismos y cánones de la realidad. Repelo y Nicotiano advierten:

> ... la realidad es casi ficticia a veces, y todo es muy complejo. Yo prefiero esta existencia limitada, pero real, que me ha tocado vivir, y no la existencia mentirosa de los entes de ficción (14).

En esta reflexión sobre la literatura no podía faltar una reflexión sobre el autor. En la mención anterior del autor oímos ecos del hecho familiar, gracias a Roland Barthes, del concepto de "muerte del autor", y que es una situación paradójica: mientras más se menciona el autor en el texto menos existe[12]. Nicotiano expone la relación personaje y autor que ha preocupado a tantos críticos, entre ellos a Bakhtin, quien acuñó el concepto de "extraposición del autor", es decir, la necesidad de que el autor mantenga distancia en la creación de los personajes y no se funda con ellos, porque si esto sucede se destruye el acontecimiento estético[13]. Este diálogo sobre la relación autor y personaje que recuerda la obra *Seis personajes en busca de un autor* de Pirandello y *Niebla* de Unamuno, muestra la preocupación por uno de los problemas de la obra literaria y reitera el carácter de diálogo en que se sostiene *La era imaginaria*[14]. Nicotiano afirma:

> ... ya que estaríamos sometidos a los designios de un *autor* que a lo mejor nada siente por nosotros...

[12] Ver Roland Barthes, "The Death of the Author", *Image, Music and Text*, trad. Stephen Heath, New York: Hill and Wang, 1977, p. 142.

[13] Mikhail Bakhtin, *Estética de la creación verbal*, trad. Tatiana Bubnova, México: Siglo Veintiuno, 1982, capítulo sobre el personaje.

[14] Ver Luigi Pirandello, *Six Characters in Search of an Author. Naked Masks*, ed. Eric Bentley, New York: E. P. Dutton and Co., 1952, pp. 211-276, y Miguel de Unamuno, *Niebla*, ed. M. J. Valdés, Madrid: Ediciones Cátedra, c. 1982.

> Encerrados en un montón de páginas sin poder influir en nuestro propio destino, abandonados *a la voluntad absoluta* de un ser humano como tú y como yo, con defectos y complejos, influenciable por los más insospechados factores, condicionado por su pasado, un simple autor... No. Es mejor que esto no sea un libro, Repelo. Me quedo con mi propia realidad (14).

A lo que Repelo le contesta no sólo con la preocupación sobre autor y personaje sino que también incluye un comentario sobre los lectores:

> —Sé muy bien que esto no es un libro. Y también prefiero disponer de minutos y años para vivir, que de hojas con garabatos semánticos cuyo objetivo sería entretener a gentes que tal vez ni eso se merezcan (15).

A pesar de la afirmación anterior, en la novela se privilegia el espacio de la ficción sobre el de la realidad; la idea de que la vida imita al arte se reitera en afirmaciones que suponen que el arte es paradigma de la realidad y no al revés: "Pensaba que en el mundo tendría que haber también gente extraordinaria como las que se encontraban a veces en los libros" (45). En el capítulo II en el diálogo entre el maestro y Repelo, el primero le pide a Repelo que le dé su opinión sobre él y éste le dice que si él abriera un libro al azar y se encontrase con un personaje como el maestro, cerraría el libro y no leería ni un párrafo más (35). Después Repelo agrega que el maestro es uno de los personajes secundarios, insignificantes, que aparecen en una obra y luego desaparecen sin que se sepa nada más. Y es eso, precisamente, lo que pasa en *La era imaginaria*: el maestro no vuelve a aparecer.

El maestro, portador del discurso oficial y autoritario, establece los límites entre la vida y el soñar: le recuerda a Repelo que esto es "la vida", le pregunta si es que acaso él "vive soñando" y le advierte que va siendo hora que busque su "lugarcito en el mundo de la realidad" (48). Los límites de realidad y ficción, irónicamente, aparecen claramente trazados dentro del discurso del maestro quien no admite la ambigüedad y la incertidumbre y quien, por lo tanto, no tiene lugar en el universo dialógico de *La era imaginaria*.

La novela incluye también una reflexión sobre el acto de lectura. Se reflexiona sobre la escritura y la lectura como actividades equiparables —como había señalado Borges: "leer y escribir es lo mismo"—, a la vez que explora el efecto en el lector. El diálogo entre el Tagirote (el bibliotecario) y Repelo revela esa preocupación por el acto de lectura que define como acto "antagónico", palabra que remite a: contrariedad, rivalidad, oposición, especialmente en doctrinas y opiniones; y "confrontación" que remite a: cotejar, poner una persona frente a otra, es decir, ambas palabras aluden al carácter dialógico, no sólo de la escritura, sino también de la lectura:

> —La gente que lee mucho suele volverse complicada, Repelo. Cada buena lectura trae consigo una gravitación de imágenes pulsátiles, cuyo efecto exacto es imposible establecer. Leer... es siempre un *acto antagónico, una confrontación voluntaria*. Los libros provocan, seducen, confunden, estimulan el pensamiento. Hay libros que hacen brotar simientes en zonas de nuestra conciencia donde ni siquiera sospechábamos que había tierra y luz (192)[15].

Este diálogo es una exposición de ideas en conflicto sobre el acto de la lectura y da constancia de la riqueza de la lectura y la multiplicidad de reacciones que provoca una obra. En ese mismo diálogo el Doctorcito observa el impacto que puede tener la lectura, y señala

[15] El énfasis ha sido añadido para mostrar la insistencia en el carácter dialógico de la escritura y de la lectura.

que a veces puede resultar dolorosa su simiente; a lo que el viejo contesta subrayando la necesidad de mantener la capacidad de pensamiento, insistiendo que es preciso leer críticamente.

La relativización del lenguaje en *La era imaginaria* pone de manifiesto y virtualiza la presencia del dialogismo en el discurso narrativo. El discurso del narrador aparece dialogizado haciendo posible una relación dinámica entre texto y lector/a. La preocupación del sistema lingüístico como algo relativo permite la fusión del lenguaje de la ficción con el lenguaje histórico y contribuye a desvirtuar los estatutos monológicos y hegemónicos y, por el contrario, muestra la imposibilidad de los absolutos. Esto es obvio en el diálogo del Tagirote y los niños. Cuando Tagirote insiste en hacerles creer en "una verdad", uno de los niños se pregunta ¿no sería una majadería del anciano? La pregunta queda sin contestar, pero más adelante, cuando el anciano está por morir, llama a los niños porque tiene algo importante que comunicarles: "No, hijos, no poseo respuestas, La Respuesta. Esta ha sido mi vida, echen a andar de nuevo el reloj, pongan a oscilar de nuevo el péndulo y salgan a vivir" (240).

En *La era imaginaria* el lenguaje se usa de una forma muy estética. La novela no destruye el concepto de realidad sino que lo problematiza y presenta la imposibilidad de expresar certeza por medio del lenguaje. Este tiene muchas connotaciones (en el capítulo I cuando hablan de la tormenta Repelo la llama "puta"), Repelo le explica a Nicotiano que "el lenguaje es como un pincel que al aplicarlo a la tela deja matices inesperados" (18). El lenguaje es algo heredado, trae rastros ideológicos y valores; Repelo señala que es necesario sacar a relucir los prejuicios y valores que el lenguaje porta. El lenguaje de la ficción es siempre, hasta cierto punto, dialógico.

La novela, a través del uso de distintas lenguas,

asimila una variedad de discursos, los cuales relativizan la autoridad de otros. El realismo suprime este diálogo; la metaficción (la mímesis del proceso y no del producto) sostiene y se sostiene entre la tensión formal de creación y crítica; de interpretación y de construcción de significados[16]. Aunque esto está presente en casi toda la ficción contemporánea, su prominencia en esta novela es significativa. Repelo dice en un diálogo con el Tagirote, el Doctorcito, y Pirulí: "El lenguaje es portador de valores, el lenguaje conceptualiza, nombra, ciñe la realidad... Pero también insinúa, evoca, da pie a múltiples valoraciones, puede ser tan directo como ambivalente..." (193). También la imposibilidad de que la lengua comunique sin ambigüedades —preocupación que muestran los autores contemporáneos, Onetti y Cortázar entre ellos— se plantea en la novela: "El lenguaje es un fenómeno extraño, todo el tiempo siento que le estoy ocultando cosas" (33).

La era imaginaria parodia continuamente el lenguaje oficial. La parodia funciona como forma de desfamiliarizar algunas estructuras estableciendo técnicas para socavar la posición del autor.

El lenguaje literario es sólo uno de los muchos lenguajes de la novela, también están el lenguaje de grupos sociales, profesiones y de generaciones. El lenguaje representa la co-existencia de las contradicciones socio-ideológicas del presente revolucionario y el pasado burgués, las diferencias entre épocas y grupos sociales. Los lenguajes no se excluyen sino que se intersectan y el resultado es un diálogo de lenguas. Bakhtin estudió cómo la diversidad de voces y la heteroglosia entran a la novela y se organizan en un sistema artístico estructurado, él anticipó las postula-

[16] Ver Linda Hutcheon, *Narcissistic Narrative. The Metafictional Paradox.*

ciones de Emile Benveniste sobre el carácter dialógico de la comunicación[17].

Una forma de incorporar el lenguaje de la heteroglosia es a través del discurso de los personajes. Bakhtin afirma:

> The language used by characters in the novel, how they speak, is verbally and semantically autonomous; each character's speech possesses its own belief system, since each is the speech of another in another's language; thus it may also refract authorial intentions and consequently may to a certain degree constitute a second language for the author (*The Dialogic Imagination* 315).

El discurso del personaje es el ideologema, que según Bakhtin: ... "is always a particular way of viewing the world, one that strives for a social significance."[18] En la novela hay construcciones híbridas, las cuales según Bakhtin pertenecen a un hablante, pero que contienen dos maneras de hablar, dos estilos, dos lenguas, dos sistemas. Los personajes hablan y actúan y esa actuación está asociada con la ideología. La actividad de los personajes está ideológicamente demarcada. Vázquez Díaz como creador no se encuentra en ninguno de los niveles del lenguaje de la novela: está en el centro de la organización donde se intersectan todos los niveles.

El discurso de los personajes de *La era imaginaria* presenta la confrontación de distintos discursos. Esta confrontación se da a distintos niveles: el discurso de los personajes es una mezcla de habla culta, educada, donde los personajes hacen un refinado uso del vocabulario; a la que se contrapone un habla infundida de voces de la clase popular. Ambas se mezclan (la

[17] Ver Emile Benveniste, *Problemas de lingüística general,* trad. Juan Almela, Buenos Aires: Siglo XXI, tomo I, p. 181.

[18] Mikhail Bakhtin, *The Dialogic Imagination,* p. 333.

lengua "alta" y la "baja") en el mismo enunciado. La expresión latina "Mutatis Mutandis" se asocia con el ritmo de la rumba o el cha-cha-chá (13); o cuando los personajes incorporan frases hechas o de fragmentos de canciones populares: "suave que me estás matando" (168) o "lágrimas negras" (170) a su discurso. También cuando el discurso del presente dialoga con el discurso de textos literarios de otras épocas y otras culturas.

Otro tipo de disparidad se crea cuando el discurso de los personajes recoge el discurso oficial, autoritario, y luego se contrapone a un discurso subversivo que reta y desafía la autoridad. Esto lo logra el novelista por medio de algunos procedimientos: yuxtaposición, inversión, transformación, desplazamiento y cláusulas parentéticas.

El primero, la *yuxtaposición*, es cuando expone dos discursos distintos, uno después del otro sin que se confundan. Cada discurso porta sus ideas e ideología y aparece contrapuesto al otro, ambos antagonizan y no se mezclan: el mejor ejemplo de esto es la exposición contrapuntística del discurso del maestro y el de Repelo. Hay *inversión*, cuando un personaje o el narrador toma un discurso anterior e invierte el significado de lo que se proclama en él. Se da *transformación* cuando el discurso contiene rastros de otro discurso, pero el contexto en que aparece es distinto, no siempre invierte el sentido sino que se agrega algo que cambia su sentido sin invertirlo. Denomino *desplazamiento* al mecanismo de desplazar de un contexto a otro un determinado discurso. Las *cláusulas parentéticas* sirven para incluir de forma incidental fragmentos de otro discurso.

También se da disparidad cuando se contraponen dos discursos: uno que llega a los/as lectores/as y otro que llega a los personajes o cuando sabemos que ha sucedido algo y la gente del pueblo cuenta una versión distinta. En muchas ocasiones los/as lectores/as sabemos que detrás del discurso oficial hay un discurso subversivo. Por ejemplo, cuando Mediopeje no relata verazmente los hechos ocurridos, es decir, miente y los/as lectores/as conocemos los hechos tal como ocurrieron.

Los silencios son también reveladores, en muchas ocasiones cuando el personaje emisor permanece en silencio el interlocutor recibe un mensaje. Este es el caso de Nicotiano al permanecer en silencio, le envía a Repelo el mensaje de que no ha dicho nada convincente ni concreto y que debe seguir hablando.

La novela permite la incorporación de varios géneros: cuentos, poemas, fragmentos de biografías, cartas, y cada uno trae su propio discurso, su lenguaje, lo cual estratifica la unidad lingüística de la novela. *La era imaginaria*, en la tradición de *Don Quijote*, realiza muchas de las posibilidades artísticas de la heteroglosia en el discurso novelístico.

El juego favorito de los niños es crear historias. Todo arte tiene mucho de juego, pues es creación de otros mundos simbólicos. Como observa Patricia Waugh: "Fiction is primarily an elaborate way of pretending, and pretending is a fundamental element of play and games"[19]. Los niños construyen una ficción dentro de la ficción mayor que es la novela de Vázquez Díaz. Y en la novela se representa la conciencia que ellos tienen de ser parte de una narración mayor [Violita al terminar Repelo su narración le dice: "Cuando tú y yo relatamos algo, me parece que todo forma parte de una narración mayor" (125)]. En el capítulo IX Violita y Repelo crean historias, la de Repelo, un diálogo entre un gato y un perro, reitera a nivel del habla popular la pugna entre gatos y perros ("estar como perros y gatos", "pelear como perros y gatos", etc.), es un discurso dialógico, contrapuntístico,

[19] Patricia Waugh, *The Theory and Practice of Self-Conscious Fiction*, p. 35.

en el cual por medio del procedimiento de yuxtaposición se ponen a prueba ideas distintas. Una de las formas de reiterar la posibilidad de la ficción dentro de la ficción y de reflexionar sobre la creación de ficción es el contar historias de los niños. Fue la abuela quien los inició en esto, al contarles historias por las noches, las cuales hacían pensar a los niños, reflexionaban y comentaban las mismas y lejos de incitar el sueño, incitaban la meditación. Aquí aparece la idea de que la literatura lejos de *adormecer,* despierta, provoca.

La novela intercala cuatro relatos: uno de la abuela, dos de Violita y uno de Repelo. El primero se incluye en el capítulo primero, trata de un pueblo sin teatro y sin ferrocarril, apartado de los caminos del mundo. Al pueblo llegó un circo con un ocelote de ojos nostálgicos y un domador con afán de amaestrarlo. El ocelote, sin comprender por qué tenía que aprender todas las imbecilidades que el domador le exigía, cada día se ponía más apesadumbrado. El relato presenta la preocupación por las instituciones sociales y el problema de la intolerancia hacia las diferencias humanas.

El segundo relato es el de la abuela, quien cuenta sobre una ciudad de espejos que es descrita como enigmático laberinto luminoso (114). Comienza describiendo la ciudad: la parte nueva y la parte vieja. Toda la ciudad, los jardines, las calles, las plazas, todo estaba atiborrado de espejos y en éstos cabían familias enteras. Durante este tiempo hay una transposición del orden y prevalecen el caos y la desorientación. Este relato parece tener conexión con el título de la novela, *La era imaginaria*, el cual Vázquez Díaz tomó de la teoría de "las eras imaginarias" de Lezama Lima, para quien la imagen era la causa secreta de la historia. René Vázquez Díaz me ha comentado lo siguiente:

> Lezama creía que cuando los hombres se mueven poseídos por una imagen que condiciona su actuación,

> se vive en una era imaginaria. Por ejemplo, la cultura egipcia, Confucio, los aztecas y el culto de la sangre. Entrecruzamientos de símbolos y teogonías, "milenios extrañamente unitivos", inmensas redes de contrapuntos culturales.

Este relato, a través del uso de los espejos, explora la posibilidad de la proyección en otro(s) y el problema de la representación de la realidad.

El relato de Violita pone en escena el diálogo entre dos grupos de mujeres y, a través de éste, se destaca el papel de la mujer en la sociedad. Ellas son las protagonistas, discuten y deliberan sobre los problemas del pueblo, luego hacen una fiesta y cantan tomadas de la mano repitiendo dos estribillos: "¿Es acaso verdad que se vive en la tierra?" "¡Tan sólo un breve instante!" (118).

El relato de Repelo es un diálogo entre un perro y un gato, que nos hace pensar en una fábula, pero éste a diferencia de la fábula no instaura una verdad, una moraleja, sino que cada uno presenta su punto de vista sobre la amistad, el individualismo, el colectivismo, el respeto y el sometimiento. Presenta un enfrentamiento de estos conceptos a distintos niveles, pero sin privilegiar ninguno.

Una de las estrategias más importantes de las que se vale la metaficción es la intertextualidad. La noción de intertextualidad no supone la reducción a la cronología de los textos (texto A-texto B), no se trata de buscar fuentes sino de reiterar el sistema de confluencias e influencias que se dan en un texto literario. Interesa como la percepción de las relaciones de diálogo con otros textos y culturas, como bien apunta Jonathan Culler en su artículo "Presupposition and Intertextuality":

> Intertextuality thus becomes less a name for a work's

> relation to particular prior texts than a designation of its participation in the discursive space of a culture: the relationship between a text and the various languages or signifying practices of a culture and its relation to those texts which articulate for it the possibilities of that culture[20].

La noción de intertextualidad subraya que leer es situar una obra en un espacio discursivo, relacionándolo con otros textos y a los códigos de ese espacio. La intertextualidad es la percepción del/de la lector/a de las relaciones entre un texto y otro(s) que lo preceden o siguen, es un fenómeno que orienta la lectura y es contrario a la lectura lineal. Michael Riffaterre la define así:

> Intertextuality is a modality of perception, the deciphering of the text by the reader in such a way that he identifies the structures to which the text owes its quality of work of art[21]...

La era imaginaria crea un espacio intertextual en el que se entabla diálogo con *Don Quijote, La Biblia,* y textos de Hemingway, como en el capítulo XV en el que después de muerto Félix, Repelo entra al cuarto "prohibido" en casa de Nicotiano y busca en los libros. En uno de los libros que el padre del niño no solía prestar había algunas frases subrayadas. Estas, que aparecen en la novela de Hemingway, *The Old Man and the Sea,* en distintos momentos de la lucha del viejo en alta mar, se condensan en *La era imaginaria* y sirven como metáfora del discurso del padre de Nicotiano; son frases que definirán su ideología y su representación en la novela: "And pain does not matter

---

[20] Jonathan Culler, "Presupposition and Intertextuality", *The Pursuit of the Signs,* Ithaca: Cornell University Press, 1981, p. 103.

[21] Michael Riffaterre, "Syllepsis", *Critical Inquiry*, vol. 6, núm. 4, Verano 1980, p. 625.

to a man", frase que aparece en la novela de Hemingway cuando el viejo, después de muchas horas en el mar, sumerge su brazo derecho en el agua y al sacarlo adolorido dice que el dolor no tiene importancia para el hombre[22]. Y más adelante: "You must keep your head clear. Keep your head clear and know how to suffer like a man". Y luego: "But what can a man do in the dark without a weapon?"[23] Repelo, al preguntarse qué relación puede tener con Félix la historia de Hemingway sobre un hombre solo, luchando contra el mar, le ilumina al/a la lector/a los detalles de esa relación y podemos trazar un paralelismo entre la vida de Félix y la de Santiago[24]. El texto de Hemingway dialoga también con la carta que Félix le escribe a Federica en el capítulo III:

> A veces los hombres tienen que pactar con su dolor. Al fin demostraré qué clase de hombre soy. Los que me miran con recelo tendrán que confiar en mi honestidad. He luchado solo y voy a vencer (61).

El texto de Hemingway, *The Old Man and the Sea,* entra y crea una relación especial con la novela, pues trae una lengua distinta, un estilo, una época, una ideología, una carga de valores y el/la lector/a tiene acceso a un universo literario más complejo. El niño, en posición de lector, descubre que a esas líneas (a la ficción de Hemingway): "Not matter how a man alone ain't got not bloddy chance", Félix le había respondido: "Al menos yo, he tenido que empezar solo. Hasta el día en que logre desenmascararlos" (191). No solamente se

[22] Ver Ernest Hemingway, *The Old Man and the Sea,* New York: Collier Books, Macmillan Publishing Company, p. 84.

[23] Ver *The Old Man and the Sea,* p. 117.

[24] René Vázquez Díaz publicó un interesante artículo sobre la obra de Hemingway. Ver "El viejo, la derrota y el mar", *Barcarola,* julio 1988, núm. 28, pp. 259-266.

desplaza el texto de Hemingway sino que se yuxtapone al discurso del personaje; por tanto, el proceso de dialogización es doble. Este procedimiento de incluir la ficción dentro de la ficción crea un espacio intertextual que reitera la validez del universo literario.

Otra forma de la intertextualidad son las alusiones literarias. Estas son alusiones a títulos de libros o autores. Los niños aluden no sólo a personajes de otras ficciones sino que aluden también a los autores, lo cual resulta en la ficcionalización de los autores. Mencionan a Unamuno y a Tolstoi llevando a cabo ciertas acciones o en distintas situaciones: Unamuno con las pantuflas calientes junto al fuego del hogar y Tolstoi muriendo de congestión pulmonar (84). Esto contribuye a borrar los límites entre ficción y realidad.

La intertextualidad también se reitera por medio de citas directas y breves de literatos, poetas o filósofos. Este es el caso de una cita de Descartes, la cual contiene un diálogo a nivel de la frase misma: el uso de un retruécano contribuye a reiterar el carácter de juego del lenguaje, la riqueza de sus múltiples combinaciones y la posibilidad de alternar los significados en una frase con el simple cambio de la posición de las palabras: ... "los malos libros provocan malas costumbres, mientras que las malas costumbres provocan buenos libros..." (193). El Tagirote recuerda una frase de Nietzsche y con ésta vehiculiza una crítica al excesivo apego a la lectura "autoritaria", es decir, la lectura que en vez de evocar más significados los limita y los obstaculiza:

> El docto, que en el fondo ya no hace otra cosa que "revolver" libros, acaba por perder íntegra y totalmente la capacidad de pensar por cuenta propia. Si no revuelve libros, no piensa (193).

La cita anterior de Nietzsche que entra al discurso del Tagirote, le recuerda a Pirulí un fragmento del discurso de su madre (Yoya): ..."en los centros de trabajo donde abundan los intelectuales, el núcleo del partido funciona defectuosamente" (193). El discurso de Yoya —que llega a través de su hijo Pirulí— dialoga con el discurso de Nietzsche, lo cual supone un diálogo y confrontación de épocas, momentos históricos, ideologías; tal confrontación encierra una posición entre el discurso de los intelectuales y el discurso oficial del partido, a la vez que crea un efecto humorístico al relacionar los discursos de un filósofo y una mujer sin educación.

Los versos de Martí también entran al espacio intertextual: "Yo sé bien que cuando el mundo/cede, lívido, al descanso,/sobre el silencio profundo/murmura el arroyo manso" (45). Entran no sólo versos, sino también mensajes publicitarios o tomados de artículos [ejemplo: anuncio de caja de tabacos: "Partagás, Real Fábrica de Tabacos y Cigarros. Establecida en 1845. Medailles D'Or, París 1878, 1879, 1887)]. Otra forma de la intertextualidad es cuando compara la acción de un personaje con alguna acción o suceso de un texto conocido, por ejemplo cuando se dice que Pirulí se transformó en cucaracha tiene obvias resonancias kafkianas.

En el capítulo XVI, en que los niños navegan, comentan una sección del Deuteronomio en la que Moisés aconseja: "De los animales que viven en el agua, comeréis los que tienen aletas y escamas; pero cuantos no tienen aletas y escamas, no los comeréis; son para vosotros inmundos" (210). Este discurso tomado de *La Biblia* tiene ecos también del discurso de Santiago en *The Old Man and the Sea*, cuando el viejo reflexiona sobre los distintos animales y cuáles se deben comer y cuáles no[25].

La novela intercala un fragmento de la biografía de la novelista, dramaturga y poeta cubana Gertrudis Gómez de Avellaneda, e incluye la siguiente cita

[25] Ver Ernest Hemingway, *The Old Man and the Sea*, pp. 72-73.

textual que es parte del discurso feminista que se desarrolla a través de toda la novela:

> Juzgada por la sociedad, que no me comprende, y cansada de un género de vida que acaso me ridiculiza, me siento extranjera en el mundo y *aislada en la naturaleza*. Siento la necesidad de morir (145)[26].

En el capítulo XI —diálogo de Nicotiano y la tía Ulalume— Nicotiano habla del pasaje de la pastora Marcela y reproduce y recoge fragmentos del discurso feminista de Marcela:

> Yo *nací libre* —dice Marcela— y para poder vivir libre *escogí la libertad de los campos*. Tengo libre condición —dice— y no gusto de sujetarme; ni quiero ni aborrezco a nadie; no engaño a éste, ni solicito a aquél; ni burlo con uno, ni me entretengo con el otro (146)[27].

El narrador hace que se dé un diálogo entre Gertrudis Gómez de Avellaneda —personaje real, del siglo XIX— y Marcela —personaje de ficción de *Don Quijote*. Se unen así el discurso feminista de dos épocas, dos culturas, dos ámbitos sociales: el de una escritora y el de una pastora.

Los personajes —supuestamente niños— son ideólogos, ellos ponen a prueba y confrontan las ideas, dando lugar a un discurso dialéctico. Para lograrlo, el autor se vale de la yuxtaposición, la enumeración, el diálogo, el resumen y la presentación de puntos de vista. Ejemplo de esto es el incidente del segundo capítulo en el que Repelo, desafiando las convenciones y la autoridad del maestro, se rehusa a llevar corbata. El episodio facilita una exposición contrapuntística entre obediencia/desobediencia, aceptación de la auto-

---

[26] El énfasis ha sido añadido.
[27] El énfasis ha sido añadido.

ridad/desafío. Los niños: Nicotiano, Repelo, Candilita, Mofeta y el Doctorcito aparecen alineados como un coro de voces polifónicas que presentan argumentos desde distintas posiciones, se retan entre sí y se oponen a la autoridad. Nicotiano y Repelo reflexionan sobre el comportamiento, la obediencia, el conformismo; Mofeta y el Doctorcito sobre la justicia y las limitaciones humanas. Este diálogo opera a distintos niveles: se trata de un diálogo sobre reglas escolares, pero a otro nivel se trata de reglas que rigen cualquier organización social.

La novela incluye también una reflexión sobre el contenido ideológico de la obra literaria. En el capítulo XV, el Doctorcito señala:

> Toda obra encierra un contenido ideológico que, en un sentido profundo, la definirá. La forma en que el autor se acerca al tema que aparece como principal, su manera de elaborarlo y de presentarlo, el rango que le da a cada subtema y la forma de relacionarlos con el todo de la obra, todo eso revela una concepción del mundo y una *tendencia*, que por muy sutil que sea es siempre rastreable (193).

A lo que el Tagirote responde que mientras más elaborada sea una obra estéticamente, mientras más altos sean sus valores artísticos y su grado de complejidad literaria, más difícil será evaluarla en tales términos (194). Debido a que *La era imaginaria* es un intrincado sistema dialógico, resulta muy difícil descifrar la tendencia política de la misma (el autor me comentaba que todos los que han escrito sobre la novela han visto un trasfondo político imposible de definir)[28].

Los personajes de *La era imaginaria* son portadores de una ideología, sus acciones resultan coherentes con

[28] Ver *la Conversación con René Vázquez Díaz* que se incluye a continuación, p. 87.

ésta y los sistemas dentro de los que operan se identifican con ella. Este es el caso del maestro que funciona dentro del sistema matemático donde cada proposición tiene un lugar y un valor único e insustituible; también éste es el caso de Yoya, quien representa el discurso del sistema institucionalizado. Si Yoya y el maestro son portadores del discurso autoritario; el loco, el poeta y el pintor representan un discurso diferente, periférico, opuesto al central. Las figuras del loco, el poeta, el artista y la prostituta representan el espacio de marginalidad como han estudiado Michel Foucault, Julia Kristeva y Josefina Ludmer[29].

En la novela el loco aparece fuera de las leyes sociales, vive al margen, está desempleado y se dedica a vagabundear por las calles, delirando. El poeta publica comentarios en contra del orden social; y el pintor Pirulí representa un discurso doblemente marginal por ser artista y homosexual.

La exhibición de pinturas de Pirulí da oportunidad a que se incluya un diálogo entre dos posiciones frente al arte: el arte comprometido y el arte por el arte. A través de los personajes ideólogos, se indaga y plantea el problema de la creación artística, la recepción, la posición del artista frente a la sociedad y frente a su creación. El narrador incluye un comentario sobre el momento de la creación. El se hace eco de Blanchot cuando afirma: "Pintando se ausentaba de sí mismo, en el momento de crear él no era Pirulí ni nadie sino un vacío productivo, un soplo de la nada hacia la nada" (73)[30].

---

[29] Ver Michel Foucault, *Madness and Civilization. A History of Insanity in the Age of Reason,* trad. Richard Howard, New York: Vintage Books, 1973.

Julia Kristeva, *El texto de la novela,* pp. 195-248.

Josefina Ludmer, *Onetti: procesos de construcción del relato,* Buenos Aires: Sudamericana, 1977.

[30] Ver Maurice Blanchot, *The Gaze of Orpheus,* pp. 99-104.

En el capítulo XIV durante la exhibición de pinturas, Mofeta le recomienda a Pirulí que titule su creación "El tercer mundo" pues así los que lo critican se callarían. Pirulí, el artista, no tiene nombre para su creación —y descubrimos en los motivos de la pintura preocupaciones sexuales—, pero luego, la obra es recepcionada como una obra de compromiso social. Al presentarla como tal, aunque sea una falsificación de los motivos que le dieron vida, la reacción del público es favorable. Pirulí se muestra oportunista al aceptar el título que le sugiere Mofeta; y cuando lo llaman hipócrita él dice que Mofeta sólo adivinó lo que él había pensado y para lo cual no tenía nombre.

La novela incluye una reflexión sobre la poesía. En el capítulo VIII se enfrentan las posiciones del poeta, el principiante, el Tagirote y Yoya. El poeta discurre sobre los retrocesos y abusos de la revolución y el Tagirote lo ataca, supuestamente, desde posiciones literarias. Se discute el oficio del escritor burgués y del escritor comprometido. Hay un comentario sobre la falta de libertad intelectual, el narrador dice:

> Había que ser servil y oportunista para aceptar la atmósfera de restricción intelectual en que se vivía, sin el menor rango de tolerancia no ya para el disentimiento y la disidencia, sino para la mera matización y diversificación del ámbito del pensamiento (106).

El poeta observa que se insinúa que un escritor crítico es contrarrevolucionario (109). Los discursos del poeta y de Yoya se enfrentan. Yoya porta un discurso edificante: "... aquí hay que construir escuelas y caminos, clínicas de maternidad y panaderías, bibliotecas y fábricas. Partir de cero, poeta, eso es lo que nos ha tocado..." (110).

La novela le da entrada al discurso feminista en contraposición al discurso patriarcal. A través de la representación de los personajes femeninos de Villalona se reflexiona sobre la condición marginada de la mujer. En Villalona —como tradicionalmente ha sucedido— la mujer que no acepta el papel que se le impone es considerada como "loca", "bruja" y "puta"; la matrona del escandaloso burdel Salsipuedes y Lulia viven fuera de los convencionalismos y funcionan como portadoras del discurso feminista. Ulalume señala:

> En Cuba, la servidumbre de la mujer y su total supeditación al hombre forma parte de la idiosincrasia nacional. En tierras de América se estableció un sistema aún más retrógrado que el de las metrópolis de aquel tiempo (144).

El sistema patriarcal —institución perpetuada por ciertas técnicas de control donde se preserva el poder de los padres, es decir, un sistema familiar, social, ideológico y político en el que los hombres ejercen su poder y que tiene como resultado la subordinación de la mujer— se representa, sobre todo, a través de las alusiones al burdel Salsipuedes[31]. Como muchas feministas han señalado, es difícil identificar el problema de la sociedad patriarcal, porque este poder lo domina todo: los niveles simbólicos y los concretos. Brigitte Berger señala: "Until now a primarily masculine intellect and spirit have dominated in the interpretation of society and culture[32]..."

La unidad familiar está en el centro de la sociedad patriarcal y con ellas la división del trabajo por sexo, posesión física, emocional, material y el ideal del matrimonio monogámico; la ilegitimidad de los niños que nacen fuera del matrimonio, la dependencia económica de la mujer, las tareas obligatorias de la

[31] Ver Kate Millet, *Sexual Politics,* Garden City, New York: Doubleday and Company, 1970, pp. 23-58.

[32] Ver Brigitte Berger, "Introduction to Helen Diner", en *Mothers and Amazons,* New York: Anchor Books, 1973, p. XVI.

mujer en la casa, la obediencia de la mujer y los hijos al marido, la continuación de los roles sexuales. A través del control de la mujer, el hombre se asegura de la posesión de los hijos y a través del control de los hijos se asegura de la continuidad de su patrimonio. El hombre se define en términos de su relación de poder sobre otros, y este poder comienza por la mujer y los hijos: los que tienen poder deciden por los que no lo tienen. La familia es la unidad primordial, vehiculiza la reproducción y la socialización y hace que sus miembros se conformen y se ajusten.

La era imaginaria ataca y desmitifica el clisé de la armonía familiar. Las familias aparecen desintegradas o las que aparecen aún como núcleo son ridiculizadas y presentadas a través del humor. La familia de Nicotiano se compone de: el padre, el niño y la tía Ulalume; la de Repelo se menciona en pocas ocasiones y cuando se menciona aparece rebajada: en el primer capítulo cuando se menciona a la familia de Repelo se ve la imposibilidad de una comunicación verbal inteligente; luego se menciona al padre cuando va a la escuela a reunirse con el maestro y la directora. La familia de Yoya no aparece como un todo armónico, sino que se presenta la disparidad y rivalidad de sus cuatro componentes: disparidad en la pareja Mediopeje y Yoya; rivalidad entre el hermano mayor y Pirulí. También la familia de Romo, integrada por Cecilia y Candilita, es sometida a procedimientos del humor, y en ésta se textualiza la represión y subordinación a la que la mujer ha estado sometida.

Las estudiosas feministas han re-examinado las teorías de lo femenino. Ellas argumentan que lo femenino se percibe como una ausencia o una negación de la norma masculina, y por esto se le ha negado acceso a la representación. Luce Irigaray señala: "En consecuencia, lo femenino ha tenido que ser descifrado como algo prohibido, entre señales, entre significados comprendidos, entre líneas"; es, dice Irigaray, "el lado negativo, fruto de la especularización (supone la imagen reflejada) del sujeto masculino"[33]. Irigaray afirma que el discurso machista sitúa a la mujer fuera de la representación. Para ella, la mujer no es sólo "el otro" como había señalado Beauvoir sino es "el otro" del hombre: ella es la ausencia. En la cultura machista lo femenino se reprime y subsiste bajo la forma aceptable de reflejo del hombre[34]. La mujer está atrapada en la lógica especular machista y opta por una representación de sí misma como hombre inferior. La autora de *Speculum de l'autre femme* y *This Sex Which is not One* intenta elaborar una teoría de la femineidad que escape a la especularización machista. En la novela se pone de manifiesto la política sexual y cómo ésta se establece a través de la socialización de ambos sexos de acuerdo a roles, temperamento y estatuto, lo cual garantiza el estatuto superior al hombre y el inferior a la mujer. Asegura y asocia con el hombre: la agresión, la inteligencia, la fuerza, la eficacia; en la mujer: la pasividad, la ignorancia, la docilidad y poca eficacia y limita a la mujer al nivel de la experiencia biológica.

El discurso de la novela presenta cómo el género tiene un carácter cultural. Hay evidencia insuficiente para probar que las distinciones patriarcales: estatuto, rol y temperamento son físicas en origen. Robert J. Stoller en *Sex and Gender* subraya que el sexo es biológico, pero el género es psicológico y cultural[35]. Las expectativas de la identidad del género hacen que el hombre desarrolle impulsos agresivos y la mujer los

---

[33] Luce Irigaray, *Speculum de l'autre femme,* París: les Editions de Minuit, 1974, p. 20. La traducción es mía.

[34] Toril Moi, *Teoría literaria feminista,* trad. Amaia Bárcena, Madrid: Cátedra, 1988, p. 143.

[35] Robert J. Stoller, *Sex and Gender,* New York: Science House, 1968, prefacio, pp. VIII-IX.

acalle. La agresividad corresponde al grupo de poder y la docilidad al grupo subordinado.

El sistema patriarcal delimita dos espacios: el público que le pertenece al hombre y el privado, el espacio de la casa, que le pertenece a la mujer. Las aspiraciones del hombre —a diferencia de las de la mujer— siempre se dirigen hacia afuera. Candilita y Violita, las niñas, no gozan de la libertad de Repelo y Nicotiano. Los personajes masculinos, Repelo y Nicotiano, pertenecen al mundo; las niñas, Candilita y Violita al espacio de la casa. La niña aprende de la madre, aprende siendo igual a su madre; el varón separándose de ella (Yoya se enoja porque Pirulí no quiere salir al mundo y lo anima: "A salir, a mataperrear, a descalabrar... a hacerse hombre"; a ellas se les enseña a aceptar un papel secundario y a responder a las exigencias de los otros. Ya en el capítulo I el narrador nos había comunicado cómo Violita, a pesar de sus pocos años, ayudaba en todos los quehaceres de la casa: limpiar, fregar los platos, lavar la ropa y advierte: "Para Repelo todo eso era algo etéreo, inexistente" (22). En el capítulo XII, Nicotiano, al encontrar a Violita lavando, le pregunta a Federica si ese trabajo no es desmesurado para la niña a lo que ella le responde:

> —Por supuesto que es un abuso sin nombre. La educación de las niñas consiste en habituarse a los abusos que tendrán que soportar cuando sean adultas. ¿Y lo hace *jugando* o es una ayuda *necesaria*?
> —Nosotras, las hembras, hacemos las cosas *necesarias*; ustedes hacen todo lo otro. Tonto, si Violita no lavara tendría que hacerlo Repelo. ¿Te imaginas a Repelo ante una batea lavando ropa tan sucia como la que traes puesta ahora mismo? ¿Ves ahora las cosas claras? (156).

Las mujeres, acostumbradas a moverse en una esfera secreta, privada, marginal, terminan desarrollando su intuición, prestándole más interés a los sentimientos y a las reacciones de los otros. John Stuart Mill se dio cuenta de que lo que se asocia con "lo femenino" es un sistema artificial de cultivación y ve que la mujer es resultado de un sistema de poder que la oprime. En *The Subjection of Women* subraya que la mujer recibe una educación más de sentimientos que de entendimiento[36].

En la novela el discurso de Yoya se opone al discurso tradicional de la femineidad en el que la mujer queda reducida a las tareas y responsabilidades de la casa y hay disimetría entre la valoración de las tareas femeninas y las masculinas; el prestigio está asociado siempre con las masculinas: "men are the locus of cultural values"[37]. Yoya, la miliciana, portadora del revólver y del discurso de la autoridad, rompe con el discurso tradicional de la femineidad en el que las mujeres quedan reducidas a las labores domésticas.

El discurso feminista entra a la novela en la representación de la violencia a la mujer: a través de la prostitución del pasado burgués y la violencia del marido a la esposa (el caso de Cecilia). Como observa Kate Millet la violencia está arraigada en el mismo sistema patriarcal, por tanto, requiere poco esfuerzo para su establecimiento. Los aspectos patriarcales antes descritos tienen un efecto psicológico en ambos sexos y el principal es la interiorización de la ideología patriarcal.

En la sociedad patriarcal se le ha negado a la mujer el derecho a la sexualidad. Kate Millet afirma que el amor romántico es el único medio en que la mujer es perdonada por su actividad sexual[38]. El mito de Pandora es uno de los arquetipos que censuran a la

[36] Ver John Stuart Mill, *The Subjection of Women* (1869) reimpreso en John Stuart Mill, *World's Classic Series*, London: Oxford University Press, 1966.

[37] Michelle Zimbalist Rosaldo, *Woman, Culture and Society: A Theoretical Overview*, Standford, Standford University Press, 1974, p. 21.

[38] Ver Kate Millet, *Sexual Politics*, pp. 61-156.

mujer por su sexualidad. Prevalece la idea de que las funciones sexuales de la mujer son impuras: "The connection of woman, sex, and sin constitutes the fundamental pattern of western patriarchal thought thereafter[39] ". Es paradójico, mientras el sistema patriarcal convierte a la mujer en objeto sexual, no apoya el disfrute de su sexualidad y la mujer experimenta su sexualidad con ansiedad y culpa: "Moreover, the role of femininity is prescribed by this masculine specula(riza)tion and corresponds scarcely at all to woman's desire, which may be recovered only in secret, in hiding with anxiety and guilt[40].

El discurso feminista de Ulalume es un recuento histórico de la subyugación de la mujer. Ella puntualiza que hay dos momentos claves: el momento en que el trabajo de la mujer deja de ser social para convertirse en familiar, y la pérdida total de los derechos a su sexualidad. Ulalume en su discurso histórico feminista explica lo siguiente:

> Cuando se habla de la gran derrota histórica de la mujer —una verdadera hecatombe— son dos puntos principales los que hay que recalcar: hay un momento en que el trabajo de la mujer deja de ser *social;* para confinarse en la esfera de la familia. Es indiscutible que las mujeres fueron las primeras en practicar la agricultura y probablemente también las primeras en comerciar con el excedente de víveres de la tribu. El otro punto es la pérdida total de sus derechos sobre su propia sexualidad. La familia patriarcal significó una drástica ruptura para la mujer, y su surgimiento coincide, en la línea del tiempo, con el de las clases sociales y el estado (139).

El discurso de Ulalume se hace eco del de Engels en

[39] Kate Millet, *Sexual Politics*, p. 54.

[40] Ver Luce Irigaray, *This Sex Which is not One*, trad. Catherine Porter, Ithaca: Cornell University Press, 1977, p. 188.

El origen de la familia, donde ve la propiedad privada como origen de la desigualdad entre los sexos. Engels afirma que la sociedad sin clases, donde la propiedad privada no existe, hace que la producción del hombre y la mujer tengan el mismo significado. Ya que en la sociedad de clases el valor está en todo aquello que se puede cambiar y el trabajo de la casa no se puede cambiar, por lo tanto, la mujer pasó a trabajar para el hombre; su trabajo es necesario, pero subordinado y se convierten en esposas, hijas, hermanas[41]. Su trabajo pertenece a la esfera privada. El problema de la mujer no es sólo ideológico ni discursivo, sino también económico como afirma Monique Plaza:

> La noción de "Mujer" está superpuesta a la materialidad de la existencia: las mujeres están *encerradas* en el círculo familiar y trabajan *gratuitamente*. El orden machista no es sólo ideológico, no está en el terreno de lo abstracto; constituye una opresión material concreta. Para poner al descubierto su existencia y revelar sus mecanismos, es necesario rebajar el concepto de "mujer", es decir, denunciar el hecho de que la categoría de sexo ha invadido grandes territorios para fines opresivos[42].

Ulalume ataca la familia patriarcal que le garantiza al hombre un papel dominante mientras que reduce a la mujer a la función de reproducción. Carolyn Heilbrun analiza en el tercer capítulo ("Woman as Outsider") de su libro *Reinventing Womanhood,* la condición marginal de la mujer y las imposiciones que tiene que sufrir[43]. La mujer con la carga reproductora se ha visto limitada para desarrollar su intelecto y sus intereses. Adrienne Rich ha señalado lo siguiente:

---

[41] Ver Friedrich Engels, *El origen de la familia.*

[42] Citado en Toril Moi, *Teoría literaria feminista,* p. 155.

[43] Ver Carolyn Heilbrun, *Reinventing Womanhood,* London: W. W. Norton and Company, 1979, pp. 37-70.

> Institutionalized motherhood demands of women maternal "instinct" rather than intelligence, selflessness rather than self -realization, relation to others rather than the creation of self[44].

Ulalume observa cómo la mujer se ve reducida a la esfera de lo familiar y la doble moral, la del varón que supone: agresividad, actividad y conocimiento y la de la mujer: pasividad, sumisión e ignorancia. Ella cuenta una historia del Popol Vuh en que una hija queda embarazada y es sacrificada. Ulalume hace un discurso histórico sobre la mujer con muchas alusiones bíblicas y literarias. Señala que el "adulterio" es palabra que se usa sólo para las mujeres, si es el hombre se le llama "mujeriego", pero no adúltero. Da una definición del vocablo según el Diccionario: "Delito que comete la mujer casada que yace con varón que no sea su marido, y el que yace con ella sabiendo que es casada". Y agrega: ... "si él es casado y yace con una soltera, no se desprende de la definición que tal hombre sea adúltero" (142). Ella establece un diálogo contestatario, ella modifica la definición convencionalmente aceptada. Ulalume cuenta la historia de Malitzín, el caso de la niña mejicana que fue vendida a Cortés. La tía altera un poco la historia y la dialogiza. Esta dialogización se le reitera al/a la lector/a en el comentario que incluye en paréntesis:

> Pronto derrotó a Cortés con sus movimientos de cintura (esto, querido Nicotiano, lo digo yo y no los libros de historia; se ha dicho, por ejemplo, que las únicas derrotas que sufrió Alejandro Magno fue entre las piernas de su muy íntimo amigo Hefestión, que probablemente lo hacía delirar de gusto. Pero no se ha dicho que Cortés sucumbía entre las piernas de Malitzín, y por eso lo digo yo) (143).

[44] Adrienne Rich, *Of Woman Born. Motherhood as Experience and Institution*, New York and London: W. W. Norton and Company, 1986, p. 42.

No sólo relata la historia sino que la cuestiona, la transforma, la dialogiza. Ulalume cita a Balzac, Rousseau y Goethe. El primero: "El destino de la mujer y su única gloria es hacer latir el corazón de los hombres"; Rousseau: "Un sexo debe ser activo y fuerte; el otro, pasivo y débil..."; Goethe: "Una mujer prudente, si desea leer, elegirá seguramente un libro de cocina" (144). El intercalar estos discursos patriarcales contribuye a dialogizar el texto y la historia, a la vez que hace consciente al/a la lector/a de la injusticia con que se ha tratado a la mujer y cómo los grandes escritores y pensadores han sido portavoces del discurso patriarcal.

La novela presenta el problema de la prostitución: la comercialización de la mujer, el intercambio de las mujeres. En el capítulo I, durante la tormenta mencionan a "la puta de la tormenta", lo cual da oportunidad para que Nicotiano y Repelo discutan el problema de la prostitución. Exponen la injusticia de culpar a las mujeres de "putas" cuando si existen es porque los hombres las hacen posibles: "Si una prostituta era algo tan cochino y repelente, ¿cómo podían existir hombres que la hicieran posible? Sin clientes no habría putas..." (18). Simone de Beauvoir examina en *El segundo sexo*, el problema de la prostitución. Se refiere a la prostituta como "chivo emisario", sobre quien el hombre se libera de su ignominia y reniega de ella[45]. La prostituta a pesar de tener un carácter público trabaja en la clandestinidad. Beauvoir compara a la mujer casada y a la prostituta, según ella, ambas desde el punto de vista económico padecen la misma situación. Ella observa que los papeles de "madre", "virgen" y "puta" son roles impuestos a la mujer y que las tres comparten la prohibición del placer. La mujer permanece como objeto de deseo, pero no tiene acceso a él. A la mujer se le impone la carga de la "moral", es ella

[45] Ver Simone de Beauvoir, *El segundo sexo*, trad. Pablo Palant, Buenos Aires: Siglo Veinte, 1981, cáp. VIII, pp. 337-357.

quien encarna la moral del marido: "Pero Cecilia lo preocupaba, ella siempre fue resbaladiza y confianzuda, y Romo notaba que la moral y la disciplina que él exigía en el hogar se estaban relajando galopantemente" (132). Romo, al encontrar a Cecilia y a Telesforo juntos, tiene la necesidad de defender su honor. El narrador agrega que "Telesforo no creía en las muertes anunciadas" (133); la alusión al título de García Márquez entra con todo un sistema de referencias al código del honor y la moral[46].

En la novela entra la falta de solidaridad entre las mujeres y cómo el sistema pone en lucha a la mujer profesional y al ama de casa. Las mujeres rivalizan por educación, poder económico, belleza, edad. Esto se reitera en el discurso de las mujeres en la cocina, cuando se alinean en un coro de voces para censurar a Lulia. A lo que Lulia contesta:

> Aquí los hombres pasan, directamente, del biberón a la botella de ron. Y no es extraño: ¡con unas madres como ustedes! ¡Traidoras no sólo de la revolución que estamos haciendo, sino de la estirpe humana! ¡Hembras egoístas que lo miran todo a través de sus ovarios! Son ustedes las que crían a los machos de este pueblo para que no sean más que unos presumidos-desamparados; ¡ustedes los engríen, aquí nacer varón es recibir una patente de corso, coño, un destino manifiesto, una profesión cuyo primer examen se aprueba al nacer! Sólo piensan en sus hijos, sus hijos... ¿Y vuestras *hijas*? ¡Salgan a la calle a trabajar, a picar piedras, a manejar grúas, a dirigir empresas, a pelear! (195).

Y en diálogo con el discurso no solidario entra el discurso de la solidaridad. En el capítulo XVIII, Soledad, Ulalume y Lulia hacen amistad y prometen

[46] Obviamente la referencia es a *Crónica de una muerte anunciada* de García Márquez.

escribirse. Y cuando el marido de Soledad viene a casa de Nicotiano a buscarla, son Yoya y Ulalume quienes la protegen.

Lulia, Soledad y Candilita son los personajes que representan más claramente la libertad de la mujer, el derecho que tiene la mujer de tener una vida y cuerpo propios. Lulia tiene relaciones con varios hombres, ella es la que busca y acepta sólo a aquéllos por los que siente deseo. Representa la sexualidad, el derecho de la mujer a tener una vida sexual, cosa que la sociedad no acepta y tema que las feministas han estudiado arduamente. Ella presenta el discurso de la mujer que no se somete a las reglas y proclama sus derechos. Es enfermera y tiene una descarnada reputación en el pueblo de mujerzuela y sinvergüenza. Lulia pone sus condiciones a sus amantes. En el capítulo VI Nicotiano va a su casa y viola las leyes de Lulia: llega sin avisar y ella se niega a abrirle la puerta. A pesar de que Lulia representa la libertad en germen de la mujer, ella —como sucede en muchos casos— cae en la simple imitación o mimetismo del discurso del hombre: Lulia asume la actitud del macho.

Soledad, al igual que Lulia, porta el discurso de la mujer moderna, ella abandona al marido por la libertad, por obtener oportunidades de superación y de estudio. Ella abandona, primero al marido y luego a Nicotiano, por su libertad. Ella es la encarnación del personaje Marcela de El Quijote; Nicotiano la conoce en la soledad de los campos y ella lo abandona por sus intereses. La niña Candilita representa la libertad sexual en germen; al comentario de Repelo que se va a colar en su cuarto como un ladrón, ella le responde: "Nada de eso; tú vas a dormir conmigo cuando me dé la gana. Ya verás como te invito un día propicio, y se te aflojan las piernas" (159).

Romo y el marido de Soledad representan el discurso patriarcal; curiosamente, ambos son engañados y ridiculizados (Romo es engañado doblemente: por la mujer y por la hija). Nicotiano representa al hombre nuevo, al referirse a Soledad la llama "mi compañera" y explica que ella no abandonó al marido por él sino por la libertad, y no la retiene cuando ella expresa su deseo de marcharse a estudiar.

El discurso feminista, puesto en boca de Ulalume, examina cómo las situaciones, la educación, y las circunstancias son las que han condicionado y determinado la posición de la mujer, y no su inteligencia. En su discurso expone la diferencia en el trato de la mujer dentro del sistema burgués y del sistema revolucionario. Pero el discurso dialógico no cae en la trampa de las soluciones fáciles y no cierra el discurso instalando un discurso dogmático sobre la revolución; cuando Nicotiano dice que la revolución ha abierto muchas puertas que estaban cerradas para las mujeres, Ulalume contesta que la revolución habrá cambiado muchas cosas, pero la mentalidad de los hombres sigue siendo la misma:

> ... aunque la revolución es la única esperanza seria que han tenido las mujeres cubanas de redimirse y liberarse del vasallaje, aquí va a tener que llover mucho todavía antes de que pueda hablarse, con propiedad y sin hipocresía, de emancipación de la mujer (146).

La violencia física y psicológica se presenta en el incidente de Romo y Cecilia, en el capítulo X, que pone de manifiesto la subordinación de la mujer y la supeditación al hombre. Romo Marzo, después de verse involucrado en incidentes contrarrevolucionarios, decide hacer gran derroche de su "fidelidad" y quiere que todo el pueblo sepa que él está en su casa, de manera que no se le asocie con esos incidentes. Y piensa que la mejor manera es darle un escándalo a Cecilia, la esposa; encontró la oportunidad que deseaba al ver a Cecilia hablando alegremente con Telesforo.

La violencia psicológica se ve en el trato que Cecilia y la hija reciben: tenían que pedirle permiso para salir de la casa y en tiempos de parranda las encarcelaba bajo llave por miedo a que se contagiaran con el clima de alboroto. El incidente, presentado de forma humorística, muestra la realidad descarnada de la subordinación, la carencia de libertad de la mujer y la sujeción a los caprichos y deseos del marido. La violencia física y psicológica se pone de manifiesto en la relación de Soledad y el marido; ella le cuenta a Ulalume como él la maltrataba, no le permitía estudiar y la vigilaba a toda hora. Vázquez Díaz rebaja a los portadores del discurso patriarcal: Romo y el marido de Soledad, celosos "extremeños", son caricaturas[47]. Los celos de ambos son exagerados y todas las medidas que toman para proteger a sus mujeres son burladas: los dos resultan engañados. En el capítulo XVIII, cuando el marido de Soledad va a buscarla a la casa de Nicotiano, se presentan la violencia verbal, las amenazas del hombre y la intimidación que la mujer ha sufrido. En este episodio se enfrentan el discurso patriarcal (que portan el marido y el viejo que lo acompaña), y el discurso feminista (que portan Soledad y Ulalume):

> Ninguno de los dos se apeó de su caballo; el más joven, ignorando a Ulalume y a Yoya, le dijo a Soledad: "Monta y vamos."
> Soledad respondió: "Lo nuestro está muerto y enterrado. Olvídate de mí para siempre. Yo he elegido otro camino; búscate tú el tuyo."
> El joven respondió, mostrando la grupa: "Monta y dale."
> "Compañero —dijo Yoya amablemente— Soledad ha solicitado unilateralmente el divorcio, y usted carece de derecho sobre ella. Vuelva a casa y espere noticias del notario. Usted comprenderá que es

[47] Las exageradas precauciones del marido nos hacen pensar en el personaje de "El celoso extremeño" de las *Novelas ejemplares* de Cervantes.

absurdo obligar a una mujer a permanecer a su lado, cuando ella lo considera indeseable y su decisión de separarse es irreversible" (230).

La era imaginaria le da entrada a un discurso feminista, la mujer que se ha visto privada del discurso, asume y porta un discurso feminista inteligente. Las feministas han identificado el problema del lenguaje y la mujer. Irigaray en el cuarto capítulo de *This Sex Which is not One* y Dale Spender en su libro *Man Made Language* abordan el problema del discurso de la mujer[48].

El discurso de la sexualidad aparece en la novela como el "otro discurso", vedado, prohibido, es el discurso innombrable. No es casualidad que al referirse los personajes al acto sexual lo identifiquen con los pronombres neutros: "esto", "eso", "aquello" tanto para el discurso de la heterosexualidad como para el de la homosexualidad. El discurso heterosexual se representa en los encuentros de Lulia y Nicotiano; encuentro de Telesforo y Cecilia; Candilita y Repelo y Nicotiano y Soledad. La primera de las parejas: una mujer soltera, que goza de mala reputación en el pueblo y un jovencito; la segunda, la de un hombre soltero y una mujer casada; la tercera, la de dos personajes solteros y de la misma edad. Estos encuentros se dan en parajes solitarios o en caminos (el encuentro de Lulia y Nicotiano y el de Lulia y Repelo). En el camino se encuentran aquéllos que están separados por edad o clase[49].

El encuentro sexual de Cecilia y Telesforo textualiza cómo el hombre ha usado el sexo para su propio placer y la mujer permanece como objeto de él. Telesforo sacia sus deseos en Cecilia y una vez que esto sucede se retira:

---

[48] Ver Luce Irigaray, *This Sex Which is Not One* y Dale Spender, *Man Made Language*, London and New York: Routledge and Kegan Paul, 1980.

[49] Ver Mikhail Bakhtin, *The Dialogic Imagination*, p. 98.

> ... Cecilia, con la cara sumergida en el amarillo toronja y presa de una desilusión desesperada, se esforzaba por rescatar lo que quedase de las durezas de Foro, agarrándolo para que no se le escapara. Y se abrió la blusa de un tirón como brindando sus senos embriagadores, desafiantes. —"Foro, por favor, Foro..."— Pero era evidente que lo de Foro era una retirada inapelable (170).

El encuentro sexual de Nicotiano y Soledad, Candilita y Repelo es un encuentro entre iguales, donde el hombre no actúa por egoísmo. Se representa con gran belleza, se da en medio del campo y se describe cuidadosamente la naturaleza. Si Telesforo, Romo y el marido de Soledad actúan egoístamente con las mujeres; Nicotiano actúa sin egoísmos. Nicotiano se hace eco del discurso feminista cuando al reflexionar sobre el episodio de Marcela y Grisóstomo señala que a Grisóstomo lo mató su porfía y no la crueldad de ella[50].

El discurso homosexual se representa en la pareja de Gavilán y Pirulí. El encuentro homosexual se da en el abandonado Chalet de Mc Carthy, un lugar lejos del pueblo, fuera de las leyes de la sociedad y frecuentado únicamente por Jesús, el loco. Los muchachos entran al "otro espacio" por una de las ventanas, lo cual reitera el carácter marginal que el encuentro homosexual tiene en una sociedad represiva. El primer encuentro de Pirulí y Gavilán se da en el capítulo XIV. Es Gavilán quien llama a Pirulí. Los nombres, aparentemente, simbólicos (el primero el agresor; el segundo el agredido) contienen el germen del dialogismo, y sirven para jugar con las expectativas del/de la lector/a y desmantelar lo que se instaura a primera vista:

---

[50] Nicotiano repite las líneas de Marcela: "antes lo mató su porfía que mi crueldad". (Ver Miguel de Cervantes, *El ingenioso hidalgo Don Quijote de la Mancha,* tomo I, cáp. XIV, p. 122).

paradójicamente, descubrimos que es Pirulí el más fuerte de los dos. Los discursos del fuerte y el débil se intersectan en los reclamos de Gavilán: Pirulí no sabe si la voz de Gavilán es la de alguien que da una orden o alguien que suplica. Al principio parece que el autor fuera a repetir el simplista discurso de fuerza/debilidad que muchas veces es lugar común en la representación de las relaciones homosexuales, pero Vázquez, precisamente deconstruye el clisé sobre el discurso homosexual y presenta una dimensión más compleja en la representación de los estereotipos homosexuales. El narrador llama a Pirulí "el supuesto objeto" (215), pero Pirulí reconoce su poder sobre el otro: se da cuenta de que Gavilán no le resulta imprescindible ni necesario. En el velorio de Félix (capítulo XV), Pirulí le lanza una nota a Gavilán, quien por temor a ser visto no la lee y espera salir del lugar para leerla, Gavilán se pregunta si sería una confesión pública de *aquello* que los unía? (188). Pirulí le escribe a Gavilán: "Mañana, a la misma hora, en el mismo lugar, para *lo mismo*" (189). El acto sexual, denominado por el artículo neutro implica una prohibición doble (el discurso sexual está vedado, pero aún más el homosexual), tiene doble significación: por un lado es la forma de denominar el encuentro sexual y por otro, es el sexo entre personas del "mismo" sexo. Tiene carácter privado, es un mensaje en clave que subraya el estado de represión de la sociedad y el riesgo que supone el acto homosexual en la misma.

El discurso de Pirulí es, por un lado, portador de su deseo y por el otro portador de la represión de la sociedad. El se pregunta si *aquello* que lo unía a Gavilán era también amor, si su relación era similar *"al amor normal"* de los *"seres humanos normales"*, que suele unir *"a un hombre y a una mujer"* y *"generar vida"* (215)[51]. El autor recoge el discurso represivo

[51] El énfasis ha sido añadido.

autoritario que se opone a la homosexualidad y reproduce, sarcásticamente, los lugares trillados del mismo: "amor normal", "seres normales", "hombre y mujer", "generar vida". Vázquez Díaz al reproducir el discurso represivo sobre la homosexualidad representa la complejidad del personaje homosexual y ve su dimensión de portador de dos discursos: el discurso homosexual (su deseo por el otro del mismo sexo) y el discurso oficial (en este caso el discurso heterosexual, discurso privilegiado), el cual la sociedad y la familia le imponen[52]. Pirulí reflexiona sobre las posibles reacciones de sus compañeros si conocieran sus tendencias homosexuales: Mofeta lo asesinaría, Repelo lo trataría con benevolencia y lástima o como una curiosidad científica o como un personaje de ficción, Nicotiano lo rechazaría con sarcasmo aniquilante y el Doctorcito iría a contárselo a Yoya y a los periodistas.

La era imaginaria elabora un sistema humorístico que impide que se instale un discurso dogmático, es decir, el discurso humorístico favorece el dialogismo de la novela. Bakhtin señaló lo siguiente:

> Laughter created no dogmas and could not become authoritarian; it did not convey fear but a feeling of strength. It was linked with the procreating act, with birth, renewal, fertility, abundance *(Rabelais and His World 95).*

La función del discurso humorístico en *La era imaginaria* es, precisamente, rebajar el discurso alto, oficial y desmantelarlo de su poder serio, autoritario y persuasivo. El humor en la novela funciona como

---

[52] Ver Allan Young, *Gays under the Cuban Revolution,* San Francisco: Grey Fox Press, 1981. El discurso homosexual se ha visto duramente hostigado por el discurso oficial revolucionario. Si la revolución ha intentado avanzar la causa de las mujeres, a los homosexuales, los ha perseguido abiertamente y ha promovido instituciones represivas como los campos del UMAP.

rebelión contra la autoridad y el sentimentalismo —el tono de seriedad es característico del discurso oficial— y a la vez es una negación de la implantación de jerarquías: previene que la novela establezca centros ideológicos de autoridad. El discurso humorístico es altamente dialógico pues conlleva dos significados, dos discursos.

La era imaginaria es una pluralidad de discursos, donde las ideas en pugna organizan un microcosmos minado por la polifonía de voces y la heteroglosia. La novela crea un espacio festivo, carnavalesco, en el que imperan las figuras propias del carnaval y, como sucede en el espacio carnavalesco, el humor se crea en la novela al asociarse lo alto y lo bajo. El humor de Vázquez se opone al discurso serio, alto, oficial e impide la instalación de discursos de carácter dogmático. Bakhtin en *Rabelais and His World* dedica un capítulo ("Rabelais in the History of Laughter") a la risa y analiza la recepción del texto carnavalesco de Rabelais durante distintas épocas. El señala:

> True ambivalent and universal laughter does not deny seriousness but purifies and completes it. Laughter purifies from dogmatism, from the intolerant and the petrified; it liberates from fanaticism and pedantry, from fear and intimidation, from didacticism, naïveté and illusion, from the single meaning, the single level, from sentimentality. Laughter does not permit seriousness to atrophy and to be torn away from the one being, forever incomplete. It restores this ambivalent wholeness. Such is the function of laughter in the historical development of culture and literature (*Rabelais and His World* 123).

Para Bakhtin hay todo un sistema de degradación, de cambio, él señala cómo en los festivales populares, un elemento esencial era la inversión de jerarquías: la posibilidad de transformarse en otro: el payaso era rey.

Para el crítico ruso, el humor y la risa son esenciales y algunos aspectos del mundo solamente se pueden entender a través de la risa[53].

Freud, en sus trabajos sobre el chiste, lo cómico y el humor, señala que el humor se crea cuando hay una disparidad. La comicidad se da por la disparidad de presentar dos cosas, dos sentidos distintos. Esta disparidad impide que el discurso se cierre sobre sí, es decir, impide que se instale un discurso unívoco, cerrado. Freud en "El chiste y su relación con lo inconsciente" analiza el humor desde el punto de vista económico e intenta revelar las fuentes de placer que despierta el humor y cómo residen en el ahorro del despliegue afectivo[54].

En "El humor", Freud explica que el proceso puede llevarse a cabo de doble manera: ya sea en una sola persona, que adopta la misma actitud humorosa, mientras que la segunda se limita al papel de espectador divertido; ya entre dos personas, de la cual una no tiene parte activa en el proceso humorístico, siendo aprovechada por la segunda como objeto de su consideración humorística.

En uno de los ejemplos que da en "El humor" menciona el caso del narrador que describe con humor la conducta de personajes. Señala al respecto: "no es preciso que estas personas exhiban humor alguno: la actitud humorística concierne exclusivamente a quien los toma como objetos"[55]. La actitud humorística puede proporcionar un beneficio placentero a quien lo adopta, y un análogo placer corresponde también al espectador sin parte alguna en la trama. Según Freud, el humor es una forma de actividad intelectual que no

[53] Mikhail Bakhtin, *Rabelais and His World,* p. 66.

[54] Ver Sigmund Freud, "El chiste y su relación con lo inconsciente", *Obras Completas,* trad. Luis López Ballesteros y de Torres, Madrid: Editorial Biblioteca Nueva, 1981, tomo I, pp. 1029-1167.

[55] Ver Sigmund Freud, "El humor", *Obras Completas,* tomo III, p. 2997.

sólo tiene algo de liberante, como el chiste y lo cómico, sino también algo de grandioso y exaltante, rasgos que no se encuentran en las otras formas de placer:

> Lo grandioso reside, a todas luces, en el triunfo del narcisismo, en la victoriosa confirmación de la invulnerabilidad del yo. El yo rehúsa dejarse ofender y precipitar los sufrimientos por los influjos de la realidad; se empecina en que no pueden afectarlo los traumas del mundo exterior; más aún: demuestra que sólo le representan motivos de placer[56].

Para Freud el humor "vendría a ser la contribución a lo cómico mediada por el super yo", el cual al provocar la actitud humorística en el fondo rechaza la realidad y se pone al servicio de una ilusión[57]. La broma que hace el humor no es su elemento esencial, lo principal es la intención que el humor realiza, ya se efectúe en la propia persona o en otra. Fischer, por su parte, definió el chiste como un juicio juguetón y la libertad estética consiste en la observación juguetona de las cosas. Muchas veces es la asociación verbal de dos representaciones que contrastan entre sí.

La risa y el humor están asociados con la libertad. La verdadera risa no libera de la seriedad, sino que la presenta de otra forma, la purifica de dogmatismo, de la intolerancia del miedo, de la intimidación. Bakhtin observó: "One might say that it builds its own world versus the official world, its own church versus the official church, its own state versus the official state." (*Rabelais and His World 88.*)

En *La era imaginaria* el efecto humorístico se crea por medio de la descripción de los personajes, la conjunción de personajes que no tienen mucho en común o que se oponen porque su representación física, moral o ideológica contiene disparidades. O por

[56] Ver Sigmund Freud, *Obras Completas*, tomo III, p. 2997.
[57] Sigmund Freud, *Obras Completas*, tomo III, p. 3000.

las disparidades ideológicas o lingüísticas que el discurso de los personajes o del narrador presenta.

Los personajes que tienen un efecto más humorístico, ya sea por las descripciones que el narrador hace de ellos, por las situaciones en que se ven involucrados o por el discurso que portan son: Yoya, Mediopeje, el hijo mayor de ellos, Romo y Cecilia. Los nombres de los personajes pueden crear un efecto cómico por la asociaciones que se expresan o que están implícitas y que el/la lector/a descubre. Muchas veces, éstos aluden y subrayan lo que el personaje posee en exceso o, por el contrario, se refieren a alguna carencia. También puede aludir a alguna asociación que el/la lector/a lleve a cabo. Ejemplo de esto es el nombre del marido de Yoya, Mediopej(n)e, que remite a (Medio) (pez) o también puede remitir a la frase "peje gordo", equivalente de aquél que tiene autoridad. Mediopeje carece de autoridad y es descrito como muy flaco. El uso de "medio" en su nombre remite a la idea de que está reducido, rebajado, que carece de algo; él es flaco, esta falta de similitud entre el nombre o la asociación que se pueda hacer, esa disparidad crea la comicidad. Mediopeje aparece doblemente rebajado. El nombre de su esposa, Yoya si bien es el apodo de Yolanda también es una amalgama del nominativo del pronombre personal de primera persona y número singular Yo, y Ya (adverbio con que se denota el tiempo pasado o cuando se usa en presente haciendo relación al pasado; también connota finalmente, últimamente o luego, inmediatamente). Esta última acepción denota o está asociada con la prontitud, la rapidez con que Yolanda lleva a cabo las acciones. Su nombre (Yo-Ya) encierra un monologismo: las dos sílabas del nombre expresan el monologismo de su persona, ya que al invertir las sílabas el significado se mantiene: Ya-Yo. El yo instala siempre un centro, un discurso centralizado.

El nombre de otros personajes también tiene efecto

cómico. Repelo está asociado con la carencia de pelo, repelar: tirar del pelo o arrancarlo, cercenar, quitar o disminuir. La pareja de Pirulí y Gavilán combina, primero: un cubanismo que designa un caramelo muy dulce, de muchos colores y que evoca debilidad; Gavilán: ave del orden de las rapaces, se asocia con fuerza. La pareja está formada por dos personajes que parecen contrarios y que, por lo tanto, su asociación resulta incongruente y dispar. En este caso los adjetivos se usan para deconstruir el clisé sobre las relaciones homosexuales, ya que el primero, supuestamente, débil, frágil, resulta el más fuerte de los dos.

El personaje más humorístico es Yoya, lo que resulta interesante pues ella es la portadora del discurso oficial. Yoya en el pueblo de Villalona viene a ser una metáfora "del super yo" y, según Freud, el humor es la forma de tratar al super yo.

Vázquez Díaz usa el humor con el propósito de rebajar el discurso oficial, edificante y dogmático que ella representa. Bakhtin afirmó lo siguiente:

> Laughter is essentially not an external but an interior form of truth; it cannot be transformed into seriousness without destroying and distorting the very contents of the truth which it unveils. Laughter liberates not only from external censorship but first of all from the great interior censor; it liberates from the fear that developed in man during thousands of years: fear of the sacred, of prohibitions, of the past, of power (*Rabelais and His World* 94).

Si la revolución y el carnaval invierten las jerarquías sociales, Vázquez Díaz por medio del humor invierte en el discurso literario las nuevas jerarquías que la revolución establece. Bakhtin habla de la inversión de jerarquías durante el carnaval; el carnaval como la revolución tiene que ver con la inversión de jerarquías. Afirma Bakhtin:

> Another essential element was a reversal of the hierarchic levels: the jester was proclaimed king, a clownish abbot, bishop, or archbishop was elected at the "feast of fools", and in the churches directly under the pope's jurisdiction a mock pontiff was even chosen (*Rabelais and His World* 81).

El narrador dice que Yoya antes habría sido una prostituta y ahora es la jefa del comité (63). Este enunciado tiene un carácter altamente dialógico: por un lado contiene un comentario sobre la asignación de puestos a personas sin educación y, por otro lado, presenta las posibilidades que la revolución ha abierto para la clase popular.

El personaje de Yoya resulta humorístico porque gasta mucha energía física y poca mental y nuestra risa expresa la superioridad que sentimos frente a ella[58]. Frente al héroe serio no nos reímos, sino que sentimos admiración; es el placer estético de identificación con un héroe. Al cambiar al héroe serio en cómico hay dos aspectos fundamentales, dependiendo si la comicidad surge de la degradación de un ideal heroico a su opuesto, o de la elevación de lo humano. Si uno entiende el héroe cómico como una degradación de un modelo de perfección o ideal, esto corresponde con la tradición de la parodia, el pastiche y la sátira. Vázquez Díaz toma al personaje que tiene más poder, que representa a la autoridad en el pueblo, es decir, el personaje que esperaríamos que suscitara otro tipo de identificación con el/la lector/a y es a ése al que precisamente rebaja, lo cual confirma el postulado de Jauss que el héroe cómico no es cómico en sí, sino sólo cuando es visto en relación con ciertas expectativas y, precisamente, niega esas expectativas[59]. Jauss señala

[58] Según Freud, el gastar mucha energía física y poca mental tiene un efecto humorístico.

[59] Ver Hans Robert Jauss, *Aesthetic Experience and Literary Hermeneutics*, trad. Michael Shaw, Minneapolis; University of Minnesota Press, p. 191.

(desde el punto de vista de la estética de la recepción) un par de funciones en el humor del personaje: lo que el héroe revela a través de la comicidad de la contra imagen puede ser recibido como divertido y, por lo tanto, es un descanso de la tradición como una protesta, una crítica al discurso autoritario, pero hecho de una forma segura porque ha sido hecho a través de la comicidad. Según Freud lo que tienen en común todos los métodos cómicos, la caricatura, la parodia, es el degradar la dignidad de los individuos al dirigir la atención a las debilidades que comparten con todos los humanos. Al poner a Yoya, especie de héroe en el pueblo, en posición cómica se destruye la admiración que podemos sentir por un personaje "tan perfecto", tan sacrificada, tan trabajadora. El humor, si bien destruye la distancia admirativa, impide que el/la lector/a sienta compasión por ella. William Mc Dougall en *Outline of Psychology* afirma: "The true theory of laughter may be stated in one sentence -laughter is the antidote to sympathy"[60]. El/la lector/a no se siente inferior a Yoya (por todas las buenas características), pero tampoco se siente superior. El personaje por medio de la comicidad cobra una dimensión más humana, sirve como antídoto contra la seriedad y mantiene el balance en el acto estético, y en la recepción del personaje. La catarsis que experimenta el/la lector/a a través de la risa supone una economía emocional: ... "the comic catharsis can be explained as an economy of emotional effort, in the latter as a gain in intensity due to the liberation of repressed nature"[61].

James Sully en *Essay on Laughter* señala los siguientes como motivos de risa: lo raro, lo curioso (esto siempre tiene que ver con un lugar específico), las

[60] Citado en Charles William Kimmins, *The Springs of Laughter*, London: Methuen and Co. Ltd., 1928, p. 51.

[61] Hans Robert Jauss, *Aesthetic Experience and Literary Hermeneutics*, p. 193.

deformaciones físicas (que un cuerpo normal puede imitar), los vicios, el automatismo, la obscenidad y los juegos de palabras[62]. Bergson, por su parte, afirma que el cuerpo humano, las actitudes, gestos que parecen mecánicos causan risa y que los movimientos resultan cómicos cuando nos recuerdan los de una máquina. La idea de Bergson es que el automatismo muestra rigidez mental, según él: "Any incident is comic that calls our attention to the physical in a person, when it is the moral side that it is concerned"[63]. Yoya no se puede reír de sí; nos reímos de ella y no con ella. El uniforme, de una sola pieza, que no se quita nunca, que incluso se lo dejaba puesto para tener relaciones sexuales, muestra la imposibilidad de cambio o de transformación del personaje y a la vez parece ser una máscara, que la cubre, y que oculta su sexualidad. Este personaje aparece desprovisto de toda sexualidad y a la vez supone un espacio de ruptura con la "estética femenina" tradicional.

Yoya parece ser un personaje que se ve atrapado en su momento histórico y no puede transgredirlo. El narrador nos dice: "Más que sacada de la vida diaria, Yoya parecía un ser de *fábula*... De tan arraigada que estaba en el espacio y el tiempo histórico, era como si hubiera en ella un reducto de algo imaginario" (62)[64]. Este enunciado une, fusiona, dos ideas que supuestamente son diferentes: tiempo histórico y tiempo imaginario. Y define uno por la relación que tiene con el otro. La palabra fábula es uno de los términos de más amplio significado en la lengua. En griego se complica por el uso de tres vocablos: mythos, logos, ainos. Los tres con el sentido básico de la cosa dicha, pero con una

[62] James Sully, *Essay on Laughter*, citado en Charles William Kimmins, *The Springs of Laughter*, pp. 85-86.

[63] Citado en Charles William Kimmins, *The Springs of Laughter*, p. 45.

[64] El énfasis ha sido añadido.

serie de connotaciones: palabra, historia, cuento, obra de ficción, historia de niños, leyenda, discurso, adivinanza[65].

La fábula es una composición literaria, generalmente en verso, en que por medio de una ficción alegórica y de la representación de personas y de personificaciones de seres irracionales, inanimados o abstractos, se da *una enseñanza útil o moral*[66]. Aristóteles sitúa la fábula en la retórica y no en la poética. En el libro II, 20 de la *Retórica* analiza los medios de persuasión y los divide en dos formas: los ejemplos y los entimemas. Los ejemplos pueden ser paralelos históricos o paralelos inventados. Entre los inventados coloca las parábolas y las fábulas. Yoya, como personaje de fábula, es portadora de un discurso persuasivo (la retórica es la facultad de conocer en cada caso aquello que puede persuadir). La vida de Yoya, como la fábula, contiene una enseñanza, es decir, tiene un esquema retórico. La fábula es un relato ficticio pero presentado como si fuera real. Hay dos cosas que Yoya comparte con la fábula: el deseo de persuadir y la conciencia de ser real. La fábula como medio retórico se ha usado ampliamente en Hispanoamérica para hacer una crítica política. Tanto la fábula como el epigrama, la sátira y la comedia han servido para presentar una crítica social. Al respecto señala Mireya Camurati: "Desde el momento en que se califica a la fábula como medio retórico, su utilización en el terreno político es obvia"[67]. El narrador al decir que Yoya es un personaje de fábula nos recuerda, por un lado, el carácter de crítica social de este género y por otro, el carácter persuasivo de

---

[65] Ver Mireyna Camurati, *La fábula en Hispanoamérica,* México: Universidad Autónoma Nacional, 1978, cáp. II.

[66] *Diccionario de la Real Academia de la Lengua Española,* décimonovena edición, Madrid: Editorial Espasa Calpe, 1970, p. 602. El énfasis ha sido añadido.

[67] Mireya Camurati, p. 60.

Yoya. Mireya Camurati estudia la crítica política que encierran las fábulas y señala cómo muchas de ellas muestran los procedimientos deshonestos que practican los gobiernos y los gobernantes (como el de aplicar las leyes según su conveniencia). En el capítulo IV el narrador nos comunica que el pueblo se queja de que Yoya como administradora de la tienda del pueblo, obtiene una ración mayor que el resto de la población. Pero Vázquez se cuida de instalar un discurso persuasivo en esta dirección y presenta inmediatamente otra versión de Yoya. El discurso de Yoya es un discurso persuasivo pero que, precisamente, pierde su efecto al ser rebajado por los mecanismos del humor. El discurso edificante y persuasivo de Yoya sufre una transformación y la seriedad del mundo se convierte en un universo irónico.

La acentuación de algún rasgo físico es otro de los mecanismos que provocan la risa. Como en el caso de Romo, cuya calvicie se acentúa por las maniobras que lleva a cabo para ocultarla:

> Pero Romo, como tantos otros calvos, vivía espantado ante el hecho inapelable de su calvicie y no se conformaba con su destino y se disfrazaba. Diariamente se entregaba, con dolor-placer masoquista, a las minuciosidades de un *peinado difícil* que consistía en aprovechar eficientemente el cabello reminiscente en algunas partes de su cabeza, para cubrir otras ya desérticas (127).

En otros momentos el humor surge de la disparidad entre la acción y la descripción del personaje. Muchas veces el personaje se rebaja o disminuye y la acción que lleva a cabo se engrandece. La potencia sexual de Mediopeje se exalta; mientras que su físico se disminuye. El narrador dice que "Yoya siempre encontraba tiempo para los desbordamientos del hombrecillo" (68). O cuando de ella se dice: "Tenía los ojos cerrados y la boca entreabierta, una gotita de baba le corría por la comisura de los labios y su respiración se había hecho más pesada" (70). También la disparidad entre la acción que lleva a cabo el personaje y el lugar donde la lleva a cabo son motivos de risa. Del Doctorcito se dice:

> ... gobernando con responsabilidad meticulosa y con semblante de niño prodigio, llevaba unos pantalones cortos a cuadros de matices sobrios, una camisa blanca y gorra gris de larga visera. Parecía un pichón de turista norteamericano de la clase media, a punto de llamar a un camarero y *solicitar una coca cola en medio del mar* (201)[68].

Un mecanismo muy antiguo para crear un efecto humorístico, presente tanto en obras literarias como en géneros populares, es el de las parejas dispares o pares serio-cómicos[69]. Las parejas más obvias son las de Yoya y Mediopeje, y Romo y Cecilia, las cuales son incongruentes.

La pareja de Yoya y Mediopeje resulta dispar. Mientras que Yoya aparece arraigada en la historia (como dice el narrador); Mediopeje aparece al margen de ella. En sus características se opera un proceso de rebajamiento; las de Yoya, paradójicamente, se aumentan para rebajarla; proceso similar pero opuesto: sus características y proporciones, tanto físicas como morales, se aumentan; las de Mediopeje se rebajan. Según James Sully las deformidades físicas (el exagerar una parte del cuerpo o la obesidad) producen risa. Lo añadido siempre produce más risa que lo que falta. También los vicios y las deformidades morales: borrachera, estupidez, violencia de carácter tienen efecto cómico. El efecto de ambos, ya sea como individuos o

---

[68] El énfasis ha sido añadido.

[69] Ver Mikhail Bakhtin, *The Dialogic Imagination*, pp. 111-129.

pareja, es humorístico. Hay una inversión en el par cómico de Yoya y Mediopeje —algo que va en contra del horizonte de expectativas de un/a lector/a de una sociedad patriarcal— o un/a lector/a tradicional, quien esperaría que Mediopeje tuviera el poder, la autoridad y no viceversa. Así la pareja muestra cómo la revolución ha permitido la inversión de roles, pero en vez de presentarlo de una manera seria, lo cual correría el riesgo de crear un discurso cerrado y dogmático, lo hace a través del humor.

Mediopeje y Yoya son una construcción híbrida, de términos que se oponen. En esta pareja como en la de Sancho y Don Quijote se da la comicidad porque los personajes usan formas contrastantes para interpretar la realidad: el criado, la sabiduría práctica; el amo, la caballeresca; Yoya es práctica; Mediopeje es contemplativo. Se contraponen las descripciones de los personajes que forman una pareja. Los discursos aparecen uno después del otro. Yoya es: activa, fuerte, trabajadora, práctica, rápida, decidida. Mediopeje en cambio: "era más bien taciturno, y dado a delectarse en la contemplación de cosas sin importancia" (64). Más adelante el narrador concluye que Yoya es "... un globo verde en ignición constante" (64). La palabra globo remite a la idea de un cuerpo gordo, desproporcionado, el cual parece ser una cosa, y según Bergson cada vez que una persona nos da la impresión de ser una cosa nos reímos[70]. Más adelante durante la fiesta de recibimiento del hijo de Yoya se dice que ella era "el bombo" y Mediopeje "el redoblante" (233) [de Mediopeje también se dice no sólo que era redoblante, sino que "era redoblante de una banda infantil" (232)]. El narrador describe a Yoya exaltando lo que hay en ella de vieja e inmediatamente pasa a describir a Mediopeje con las características de un niño:

[70] Ver Henri Louis Bergson, *Le rire; essai sur la signification du comique*, París: Presses Universitaires de France, 1975, C. 1945.

> ¿Se estaría poniendo vieja? *¿Yoya la vieja?* Sonrió levemente, se movió, el sillón traqueó y Mediopeje dio una vuelta morosa en la cama. Bajo el remendado mosquitero, la respiración de Mediopeje era una solfa discontinua, que pasaba por compases de garrasposos ronquidos. Yaciente y manso, la edad del hombre parecía retroceder, convirtiéndose en un niño dentro de su piel curtida y fibrosa como la yuca (65).

Otra pareja dispar que provoca un efecto humorístico es la pareja de Cecilia y Romo. Cecilia, exceso de actividad y sensualidad, la apoteosis de la vida, y Romo, de apariencia lastimosa (al no aceptar su calvicie se hace un tipo de peinado que le da una apariencia deplorable). Romo, al saber que Cecilia lo engaña, exhibe actitudes que provocan la risa y que además evocan las del celoso extremeño de Cervantes[71].

El personaje de Yoya y el del hijo mayor no son dialógicos; es decir, su carácter no es dialógico (en el caso de Yoya porque representa el discurso oficial, unilateral, y en el de su hijo porque presenta el discurso técnico). Yoya está encerrada en su tiempo histórico y la única manera que el autor puede crear una dimensión dialógica es a través de la risa, es decir, que Vázquez Díaz la dialogiza a través del humor. Lo mismo pasa con su hijo, a quien no le interesa ningún aspecto de la cultura ni la literatura, sino que se interesa únicamente por el discurso pragmático [recordemos: Repelo sale disgustado de la fiesta que le brindan en honor al hijo de Yoya porque se da cuenta que el muchacho es "monocorde", es decir, monológico (236)]. De él se dice también que es un ente ficticio-epistolar, porque la relación que tienen con él es a través de cartas; es decir, una comunicación fundada en la imagen que de sí crea al escribir, que no coincide necesariamente con lo que

[71] Ver "El celoso extremeño" en *Novelas Ejemplares,* edición de Julio Rodríguez-Luis, Madrid: Taurus, 1985.

se es, sino con lo que se quiere ser. Una de las acepciones de la palabra epístola alude a este sentido: composición poética, en que el autor se dirige o finge dirigirse a una persona real o imaginaria, y cuyo fin más ordinario es moralizar, instruir o satirizar. La descripción física del muchacho lo rebaja: "su fisonomía traslucía una brutalidad excelentemente vencida" (234).

La fiesta de recibimiento al hijo de Yoya es una oportunidad para el diálogo de muchos de los personajes de la novela. Aparecen varios de los personajes que el/la lector/a había visto en distintas situaciones pero hasta ahora no había tenido la oportunidad de verlos actuar en el mismo espacio. En este espacio se enfrentan distintas ideologías. La pareja más interesante es la de Repelo y el hijo mayor de Yoya. Repelo se opone a aceptar costumbres a las que no le ve sentido ninguno, el hijo de Yoya se adhiere a las costumbres sin cuestionar su necesidad y su valor. Repelo lo cuestiona todo y se rebela contra la autoridad; el hijo de Yoya acepta el discurso autoritario.

En la novela se nos cuenta la metamorfosis de Mediopeje, de alcóholico irresponsable a hombre comprometido, la cual pierde su carácter dogmático, ya que por medio de la exageración con que se cuenta esta anécdota resulta risible e impide que se convierta en enseñanza moral. La metamorfosis supone un diálogo de dos discursos sobre el personaje: supone un antes y un después. Como observa Bakhtin:

> Metamorphosis serves as the basis for a method of portraying the whole of an individual's life in its more important moments of *crisis:* for showing *how an individual becomes* other than *what he was.* We are offered various sharply differing images of one and the same individual, images that are united in him as various epochs and stages in the course of his life. There is no evolution in the strict sense of the word; what we get, rather, is crisis and rebirth (*The Dialogic Imagination* 115).

Según Bakhtin la metamorfosis sirve para representar el destino individual "a fate cut off from both the cosmic and the historical whole"[72].

En *La era imaginaria* el humor es un recurso muy útil del que se vale Vázquez para desacralizar, tanto la ideología dominante (revolucionaria) como la marginal, opositora y subversiva (contrarrevolucionaria). El humor vale para expresar las contradicciones humanas o contradicciones de una ideología. Los personajes más cómicos son Yoya y Romo. Ella, defensora de la ideología oficial y él, opositor. El narrador se vale de esta oposición de ideologías para impedir que se instale un discurso contrarrevolucionario a partir de la representación de Yoya; como antídoto a la formación de ese sentido, convierte a Romo en personaje humorístico también.

La comicidad se da por medio de la contraposición de dos discursos: cuando sabemos que ha sucedido algo y la gente del pueblo cuenta una versión distinta. Este es el caso cuando Romo corre a Telesforo de la casa y a casa del Abuelote llega el rumor de que Romo había asesinado a Telesforo en plena calle, de dos puñaladas, después de encontrarlo con Cecilia (134). O también cuando en torno a una situación hay dos versiones distintas: una oficial y otra subversiva. Mediopeje dice una mentira a la esposa y los lectores/as tenemos acceso a la historia verdadera (102). La novela crea un efecto humorístico cuando el narrador yuxtapone dos discursos sobre un personaje, o al dar dos descripciones que contienen dos sentidos distintos, que se oponen. Este es el caso cuando describe a Yoya: "A ella le venían bien todos los adjetivos que exigían los nuevos tiempos: era combativa, honesta, trabajadora, militante, sacrificada, entusiasta y fervorosa" (62), y "En las malas lenguas, Yoya tenía fama de: mandona, dogmática, aprovechada, chivata y abusadora" (63).

---

[72] Mikhail Bakhtin, *The Dialogic Imagination,* p. 114.

Muchas veces se crea el humor por medio de una larga enumeración donde no hay contradicción, pero donde quedan vinculados elementos que el/la lector/a no espera ver juntos y, por lo tanto, rompe el marco de expectativas del/de la lector/a creando un efecto de sorpresa y comicidad. De Yoya se dice que era:

> ... miembro del Partido, activista de la Federación de Mujeres Cubanas, miembro del Buró Regional de la Central de Trabajadores de Cuba, presidenta del Comité de Defensa de la Revolución de su cuadra, Responsable del Comité de Solidaridad con Viet Nam, asesora del Comité de Solidaridad con los pueblos Explotados de Africa y América Latina, miembro de Honor del Cuerpo de Bomberos, tenienta de las Milicias Nacionales Revolucionarias y Primera Secretaria del Comité Provincial de *Orientación de la Moda* (62-63)[73].

Muchas veces no hay contradicción, sino que simplemente se unen cosas que no tienen mucho en común y esa conjunción dispar produce un efecto cómico.

Se crea efecto de comicidad cuando en un enunciado hay dos sentidos: uno alto y uno bajo que no tienen nada en común y al juntarlos se crea un todo cómico. Este es el caso cuando se dice que el Tagirote había vendido papas fritas en París y servido de traductor en Gottemburgo (105). O cuando el habla popular entra y se intercala al discurso serio, éste es el caso cuando se incluyen expresiones coloquiales o fragmentos de canciones muy populares: “suave que me estás matando” (168) o “lágrimas negras” (170). Cuando mezcla lenguas, la frase Mutatis Mutandis (frase en latín, lo culto) se asocia con lo popular: ritmo de rumba o cha-cha-chá (13).

Otro mecanismo que produce risa son las pequeñas desgracias (el baño de Yoya se destroza con la caída del

[73] El énfasis ha sido añadido.

aura tiñosa) o las obscenidades: se dice que Yoya y Mediopeje "no tendrán que cagar con el culo al aire" (71). Como señala Kimmins: "Most laughter represents the relief from the restraints of ordinary life, and this include laughter at what is lawless or obscene"[74].

Un mecanismo común que crea efecto cómico es el de la exageración. Bakhtin estudia la exageración en su ensayo "Rabelais in the History of Laughter"[75]. En la fiesta del hijo de Yoya, la bebida y la comida aparecen modestamente hiperbolizadas (la "comelata" que preparan para recibir al hijo mayor es un tipo de banquete rabeleseano). También se logra un efecto humorístico por medio del aumento o por medio de la reducción exageradas, que en muchos casos se une con expresiones coloquiales como sucede cuando el narrador, reproduciendo la voz del pueblo, señala que Yoya tomaba más de la ración que le pertenecía: "Pero Yoya no recibía ni *un chícharo* más de lo que le correspondía" (69)[76]. O cuando el narrador dice que Romo no tenía la más mínima intención de perder *ni una pestaña* en la lucha... (131)[77]. De Mediopeje se dice que era tan aficionado al alcohol que llegó a beber alcohol de noventa grados, con hielo, azúcar y yerbabuena y que en otra ocasión llegó a ingerir alcohol metílico.

Otro mecanismo para crear el humor es el de aumentar los perjuicios o efectos de algo: cuando le dicen a la madre de Repelo que su hijo se había desangrado de una lesión en la vena yugular (85). Los lectores nos reímos porque sabemos que verdaderamente no ocurrió y vemos cómo el pueblo transforma la

---

[74] Ver Charles William Kimmins, *The Springs of Laughter*, p. 36.

[75] Mikhail Bakhtin, "Rabelais in the History of Laughter", *Rabelais and His World*, p. 63.

[76] Chícharo, guisante, garbanzo. Frases muy populares en Cuba: "dar o recibir un chícharo más", o "tirar un chícharo". Esta última equivale a llevar a cabo algún trabajo. El énfasis ha sido añadido.

[77] El énfasis ha sido añadido.

situación. Otro ejemplo de exageración es cuando Mediopeje recuerda que su hijo mayor le había dicho que había computadoras que podían resolver *todas* las cuentas que se habían planteado en *todo* el mundo... (67)[78]. En muchos casos se unen la enumeración y la exageración, por ejemplo, cuando Romo dice:

> ... maldito sea Fulgencio Batista, que te tuvo preso y no te descuartizó, que no te viviseccionó, que no mandó a enterrar tu cabeza en Consolación del Sur, tu brazo derecho en Jagüey Grande, tu torso en Mataguá, tu brazo izquierdo en Güira de Melena y tus piernas en Jimagüayú (130).

Las comparaciones, símiles o metáforas dispares, son otro mecanismo que crean humor en *La era imaginaria*. Un buen ejemplo de esto es cuando Mediopeje piensa en la estancia de su hijo mayor en la Unión Soviética: "...una imagen neblinosa que mezclaba al Palacio del Kremlin, alteroso e inexpugnable, con la Iglesia de San Basilio, esta última *como un gracioso cake de merengues coloreados"* (67)[79]. Y también cuando el narrador al referirse a Mediopeje señala: "Al principio, la abstinencia había hecho que Mediopeje se moviera y actuase como si estuviera dentro de un aljibe sin miel" (68). O cuando de Federica en el velorio de Félix se dice que: "murmuraba cosas que nadie comprendía, frases atragantadas por el llanto y los suspiros. A veces sacudía la cabeza como negando algo con fuerza o gesticulaba *como espantando insectos"* (182)[80]. Y de Cecilia se dice: "...su jocunda personalidad tendía a verterse sobre el tapete de la vida como un vaso de aguardiente" (131). La metáfora humorística más obvia es la descripción de Yoya como "un globo verde en ignición constante" (64). Cuando Nicotiano sigue a Lulia por las calles y al encontrarse

---

[78] El énfasis ha sido añadido.

[79] El énfasis ha sido añadido.

[80] El énfasis ha sido añadido.

con ella piensa que se derrite "como una mermelada sobre un trocito de pan" (90). En el segundo capítulo se dice que Repelo no dejaría de morder la corbata hasta que tuviera los cachetes "como los de un trompetista esforzado..." (30).

El narrador usa a menudo la disparidad entre el discurso y el momento en que se dice, como mecanismo para crear el humor. Este es el caso de Yoya cuando hace un discurso edificante después del accidente de Nicotiano y Repelo, cuando vuelan en el aura tiñosa y caen sobre la casa de Yoya y Mediopeje:

> ¡Se trata de vuestras vidas! Nadie tiene derecho a arriesgarse en vano, y menos los jóvenes. Ustedes son el futuro de la patria, ustedes son el luminoso mañana de este proceso que es la culminación de ciento cincuenta años de lucha, a pesar del imperialismo que... "—Creo que me desmayo—", dijo Repelo (71).

Vázquez Díaz también se vale de la ironía para crear el humor. Tanto ésta como la parodia pueden ser recursos muy útiles para impedir la reproducción de un mensaje de forma lineal y posibilitar la creación o pluralidad de sentidos. La ironía supone el enfrentamiento de significados opuestos y es "...the negation of determinate meanings, a way of saying one thing while meaning another"[81]. Implica una valoración negativa y una desmitificación del referente, supone un acercamiento y a la vez un distanciamiento y —como el humor— provee varias perspectivas e impide que se instale un sentido único, es decir, consiste en la lucha de varias modalidades entre sí.

La ironía se crea en *La era imaginaria*, casi siempre, al contraponer el discurso oficial al discurso subversivo accesible a los/as lectores/as. Vázquez Díaz presenta la disparidad entre el discurso y la ideología del personaje

[81] Gary I. Handwerk, *Irony and Ethics in Narrative*, New Haven: Yale University Press, 1985.

que lo porta; los/as lectores/as tenemos acceso a un discurso oculto y vedado. Este es el caso cuando Romo alaba a la revolución y se encierra en el baño, abre el grifo y empieza a decir improperios en contra del gobierno. En el capítulo XIX es irónico que a Yoya le parezca injusto que "a un revolucionario convencido como Romo..." (238). También es el caso cuando Mediopeje encuentra unos cadáveres en el capítulo VII y oculta los detalles de los sucesos y, al llegar a la casa con una herida en la cabeza, dice que lo que sucedió fue que estando de guardia le asaltó la incertidumbre de si estaba dormido o despierto y para salir de dudas se golpeó la cabeza. El narrador parece acercarse al/a la lector/a y contarle una anécdota cargada de ironía, pues supone un discurso que invierte los postulados del discurso oficial. Este es el caso cuando se cuenta la anécdota del Che Guevara, quien le explicaba a unos obreros que no entendía por qué ellos se quejaban de la ración de comida si él recibía la misma ración y para él era suficiente; hasta que se enteró que sí, que recibía una cuota especial. También hay ironía cuando Yoya cree que Pirulí está pasando una fase de la que saldrá hecho "un hombre" (171); los/as lectores/as sabemos que ha tenido una experiencia homosexual y en los parámetros de Yoya eso le aniquilaría su hombría. O cuando Pirulí le pregunta a Yoya si ha buscado a Nicotiano en el Chalet de Mc Carthy y Yoya le dice que a ese lugar sólo va el loco Jesús. Los/as lectores/as sabemos que Pirulí y Gavilán tuvieron su encuentro sexual ahí. El narrador dice que a Cecilia no le preocupaban las visitas de Repelo a Candilita, pues "bien sabía que hablaban de cosas triviales y a lo sumo algún besito en las mejillas se darían" (158). O cuando Repelo, en la reunión escolar, le dice al padre que la directora y el maestro son educadores y no policías, y agrega: "¿No ve que no lo aparentan?" (160).

La disparidad entre el estilo o la educación del personaje y el estilo del discurso que presenta puede crear un efecto humorístico. Al igual que la disparidad entre un discurso alto, que contiene preocupaciones serias, trascendentales, de valor universal, y uno cotidiano, trivial. Este es el caso de la conversación de las mujeres sobre las posibles profesiones para sus hijos: una dice que desea que sea ortopédico, otra dirigente del partido y la última dice que quiere que su hijo sea diplomático para que le traiga *ropa bonita* (194)[82]. También en el capítulo XIII en la reunión del padre de Repelo, el maestro y la directora; el primero dice que tiene hambre y el padre le dice que ya la madre está en la cola de las butifarras. También cuando en una frase o párrafo se usa una figura retórica que es considerada "alta" y se concluye con una expresión coloquial: "Ambos comenzaban sus días muy tempranito, y sin el buchito del *negro abisinio* era muy difícil *arrancar los motores*" (69)[83].

El discurso humorístico de *La era imaginaria* es muy singular, no es como el de otras obras del Caribe; pensemos en *La guaracha del Macho Camacho* de Luis Rafael Sánchez, entre otras, donde todo se echa a juego, a broma, a burla. Tampoco es como el humor de García Márquez que transforma lo trágico en broma. La transgresión del discurso humorístico de Vázquez Díaz parece ser menor: su mirada está dirigida a acontecimientos cotidianos, su humor consiste en la inclusión del humor del pueblo, la repetición de lugares comunes del habla popular cubana, el incluir muchos cubanismos y frases hechas, pero usado de una forma sumamente inteligente y funcional: como sostén del universo dialógico, como mecanismo que impide que

---

[82] El énfasis ha sido añadido.

[83] Usa una metáfora para designar el café y luego una frase coloquial cubana: "arrancar los motores" sinónimo de comenzar. El énfasis ha sido añadido.

se instale un centro ideológico único y que, por el contrario, vehiculiza la pluralidad de sentidos y la confluencia de visiones e ideologías.

En conclusión, *La era imaginaria* se propone como un mosaico de múltiples voces, de absorciones y de transformaciones en que dialogan el discurso ficcional con el discurso histórico, el presente y el pasado, el discurso patriarcal y el feminista, el heterosexual y el homosexual, el discurso serio autoritario y el humorístico, así como distintas ideologías políticas. La riqueza y la complejidad de *La era imaginaria* —fundada en el dialogismo y la polifonía— así como su prosa bien trabajada, marcan un hito en las letras hispanoamericanas.

CONVERSACION CON RENE VAZQUEZ DIAZ*

René Vázquez Díaz nació en 1952, Caibarién, Cuba. Vivió en Polonia, donde cursó estudios de ingeniería naval, reside actualmente en Suecia. Además de *La era imaginaria* (Barcelona, Montesinos, 1987) y *Querido traidor*, que saldrá próximamente, ha publicado la colección de cuentos *La precocidad de los tiempos* (Barcelona, Biblioteca Atlántida), y los de poesía *Trovador americano, Donde se pudre la belleza* y *Tambor de medianoche.* Vázquez Díaz ha hecho una decena de traducciones, entre ellas, *Viajes del sueño y la fantasía,* del autor sueco Arthur Lundkvist.

Elena M. Martínez: *La era imaginaria* es un intrincado universo de ideas, reflexiones sobre la organización social, sobre la literatura, el arte... ¿Podrías hablar sobre la génesis de la novela?

René Vázquez Díaz: Desde muy temprano estuve absolutamente seguro de que me dedicaría a inventar historias como método de investigar por qué la gente era como era. Desde mi más temprana niñez he sido enfermizamente curioso: todo me interesa. ¿Por qué la gente se amaba o se hacía daño, qué era lo que hacía que uno fuera un descarado y otro un tímido, qué consecuencias tenía para ellos y los suyos su modo de actuar? Ten en cuenta que yo tuve una infancia muy libre y cerril, llena de aventuras. Yo era un niño

---

* Esta entrevista se publicó en *Linden Lane Magazine,* New Jersey, Vol. X, N.º 2, abril-junio, 1991, pág. 9-11.

solitario. Tenía infinidad de amigos, pero siempre me aparté, no dejé nunca que el funcionamiento en grupo penetrara en mi esquina de furtivo observador de los demás. Creo que la capacidad para la amistad verdadera con gente de diferente nivel cultural, procedencia, oficios, tendencias, etc., es una fuente de riqueza valorable para un escritor. Yo he sido amigo de traficantes de droga y putas, de ministros y clérigos; mi mejor amiga en Los Angeles era una mexicana que vendía marihuana en su casa y una noche, en una fiesta, dos autos llenos de gente, gritando, tirotearon la casa. A la abuela de la mexicana le dio un ataque de nervios, y yo me despedí de la vida. Pero bueno, la génesis de *La era imaginaria* está en mi infancia. Cuando abandoné mi pueblo para irme a estudiar a La Habana, ya tenía yo la certeza de que escribiría una novela sobre un pueblo imaginario donde hubiera niños que hablaran como Don Quijote y Sancho, que hicieran travesuras y dijeran disparates inteligentes. Fue en el ómnibus, de noche. Recuerdo aquel vértigo ante lo desconocido; yo no sabía a ciencia cierta qué era lo que iba a hacer en La Habana. [Ya allí me aceptaron, después de pasar por unos exámenes muy duros, en una escuela, internado, con una beca.] Tieso como un güin en aquella guagua repleta de gente fantasmagórica con grandes paquetes y gallinas que no se estaban quietas, supe que algún día me dedicaría a evocar un pueblo como el que me parió. No sé, la verdad, si lo haya logrado.

E. M.: *La era imaginaria* relata un momento particular del pueblo de Villalona, de su gente..., ¿tiene muchos elementos autobiográficos?

R. V. D.: Yo trabajo con destinos inventados que saco de mi experiencia de la vida, de mi prurito de observación, de mi fantasía y, por supuesto, de mi memoria. Fisonomías, anécdotas. Todo hay que procesarlo. No me interesan los retratos. Una vez alguien, indignado, le dijo a Matisse: "¡Pero eso no es una mujer!" "No —respondió el pintor—: es un cuadro". Si es que yo como ser humano existente estoy en la novela, entonces sería un híbrido de Repelo (una prima mía me decía así) y de Nicotiano. Pero como comprenderás yo nunca he construido un planeador, ni me he comido la corbata de un uniforme, aunque sí haya navegado, en pequeños chapines, por los Cayos de la Virazón, al norte de Caibarién.

E. M.: ¿Cómo explicas la relación entre historia y ficción en la novela?

R. V. D.: Los avatares de la Historia pueden ilustrarse con personalidades, elementos, lugares y sucesos que jamás existieron. En última instancia, la Historia la hacen, sufriéndola en su carne, los individuos, y el novelista es un creador (por analogía, por capacidad de identificación) de destinos fuertemente individualizados. Fíjate: ahora mismo, tú y yo estamos dentro del flujo de la Historia. Podemos ser objetos pasivos, o estar zarandeados o actuando enérgicamente; pero no estamos al margen. Somos reales y al mismo tiempo imaginarios, productos de la imaginación de otros. ¿Existió la Maga? Todo personaje literario bien logrado es "histórico". Tanto lo son Melibea y el Marqués de Bradomín, como Bras Cubas o Doña Bárbara.

E. M.: ¿Cómo surgió el título *La era imaginaria*?

R. V. D.: El título lo elegí corriendo un gran riesgo. Como tú sabes, Lezama Lima escribió en 1958 su ensayo "La cantidad hechizada", en el que desarrollaba sus teorías sobre "las eras imaginarias". Lo que me movió a elegir el título así, en singular, *La era imaginaria,* fue mi visión de abordar el tema de los cubanos bajo el influjo de la revolución, dentro y fuera de Cuba, en una trilogía, bajo el título genérico del primer tomo, o sea *La era imaginaria*. Eso es, también, un homenaje de mi parte a la figura inefable de Lezama. Para él, la imagen es la causa secreta de la Historia. Cuando los hombres se mueven poseídos por una imagen que condiciona su actuación, se vive en una era imaginaria. Por ejemplo, la cultura egipcia, Confucio, los aztecas y el culto de la sangre. Entrecruzamientos de símbolos y teogonías, "milenios extrañamente unitivos, inmensas redes de contrapuntos culturales". Se me ocurrió que todo eso se puede hacer extensivo a la esfera más íntima y pequeña, por ejemplo a la infancia o al número familiar que come y se peina sin tener (teniendo) conciencia de que es la imagen del bisabuelo la que se viste y se peina a través de ellos. Todas las grandes religiones son eras imaginarias. Observa el Cristianismo. A Lezama le gustaba repetir esto: Es cierto porque es imposible: el hijo de Dios murió y resucitó. Un disparate de inexpresable hermosura. La teoría de las eras imaginarias es tremendamente sugestiva. ¡Imagínate que en ellas incluyó el poeta a la revolución! Con toda propiedad: la revolución se mueve a fuerza de imágenes, con la de José Martí en su centro. Y de Fidel ya sabemos que nadie lo trata como a un hombre que orina y estornuda, que usa desodorante y está sujeto a la ley de gravitación universal; es una imagen encarnada en todo un pueblo, capaz de movilizar e influir hasta en la forma en que la gente gesticula cuando siente indignación, lo mismo en Cuba que en Miami. Todo un "tiempo de espejismos" —y así textualmente fue traducido el título al sueco—. Por otra parte, toda la cultura occidental es también una espectacular era imaginaria, hecha más de imágenes que de hechos.

E. M.: Además de haber tomado el título de uno de los ensayos de Lezama, la novela lleva un epígrafe suyo, ¿consideras que Lezama te ha marcado, como marcó a toda una generación de escritores cubanos?

R. V. D.: De Lezama Lima, como de cualquier escritor poderoso, hay que cuidarse. Leer críticamente, adentrarse y distanciarse, olvidarlo y regresar como se regresa a un vasto lugar lleno de peligros y riquezas. Tiene Lezama nutridos contingentes de epígonos, y todos son patéticos. No se puede imitar un hechizo. Sus ensayos no afirman nada; evocan, integran, proponen interpretaciones que se ramifican. Su poesía está hecha de giros no informativos, todo el idioma se pone en movimiento, todo es ilusorio, los "agrupamientos de variaciones inconexas" crean un ambiente selvático, las entrañas pululantes como en un organismo sin piel. Toda esa "posibilidad infinita" sirve para inspirar, no para imitarla. Lezama representa la máxima dignidad de ser escritor cubano. Pero para mi oficio, no me interesan sus amontonamientos de cláusulas inconexas, no aspiro a escribir como él, sino a sacar enseñanzas de lo que fue su trabajo y su pasión, su erudición, su insularidad y su universalidad peculiarísimas.

E. M.: A mí me llama la atención tu capacidad para narrar, tu estilo cuidado y rigurosamente trabajado, y la compleja articulación de la historia, ¿qué autores consideras que te han influido o qué lecturas han sido imprescindibles en tu formación?

R. V. D.: Gracias por lo de "rigurosamente trabajado". Es cierto, pero eso no nace de ningún talento especial mío, sino de mi total incapacidad para obtener un texto que me satisfaga, sin tener que elaborarlo mucho. Además, cada libro tiene su respiración propia, su piel, su esqueleto y su tono de voz. El lenguaje de *La era imaginaria* no es el mismo que el de mi segunda novela *Querido traidor* (que por cierto ya se publicó en Suecia y en Finlandia, pero aún no en España, donde saldrá en 1992). Te doy un ejemplo: el último capítulo de *La era imaginaria,* lo reescribí ocho veces. La primera versión tenía unos 25 folios; la definitiva unos nueve. En cuanto a los autores que han influido en mí, no lo sé bien. Son muchos, sin duda. Uno escribe porque ha leído. Y porque ha vivido o ha sabido imaginar la vida. Dos libros he leído con verdadera constancia: *Don Quijote* y *La Biblia,* o sea, historias absolutamente imposibles. Adán tenía 130 años de edad cuando nació su hijo Set, después de lo cual vivió, plácidamente, 800 años más. Al lado de eso, el hecho de que alguien se convierta de pronto en una cucaracha, o hable con los muertos, es una fruslería, o mejor dicho algo totalmente lógico y natural. He leído como setenta veces los capítulos en que Sancho Panza gobierna la ínsula Barataria; es casi un vicio, no me canso de hallar analogías, sutilidades, es una imagen verdaderamente inagotable. ¡Qué suerte inmensa la de hablar y escribir la lengua de aquel genio inmarcesible que fue Cervantes! Mira, yo he leído un poco todos los autores modernos de nuestra lengua; no puedo hacerte un catálogo porque sería ridículo. Además domino el sueco y el polaco, he traducido muchos libros al español. Leo el inglés bastante bien. Conocer varias literaturas, decía Martí, es la mejor manera de librarse de la tiranía de una sola. ¡Ah! Hablando de Martí. A los trece años, yo creía que sólo había dos grandes escritores en la historia de la literatura: José Martí y Edgar Allan Poe.

E. M.: En la novela hay una reflexión sobre el acto de escritura y el de lectura que me hace pensar en las reflexiones críticas borgeanas... ¿No consideras a Borges uno de tus "maestros"?

R. V. D.: De Borges debemos todos aprender a contenernos, a medir con pedantería de filatélicos el contrapunto de significados de los adjetivos, a concatenar las imágenes con aparente sencillez para que después, en resumen, nadie las entienda bien; a dejar espacios vacíos, imantados, para que el lector los vaya llenando de cuchicheos.

E. M.: En *La precocidad de los tiempos* encuentro muchas más técnicas pertenecientes a la novelística que a la cuentística, ¿qué género prefieres y por qué?

R. V. D.: Los cuentos de *La precocidad de los tiempos* son muy endebles, producto de una práctica literaria todavía en agraz. Son anotaciones viejas, del tiempo de La Habana ("La inmortal") y de Polonia (un cuento, "Cosas de familia" fue escrito en los Angeles, y casi todo *La precocidad...* lo anoté en Miami). Pero como te digo, son historias mal escritas que después reuní en Suecia y publiqué en Barcelona; si algún día reedito ese libro, quitaré muchas cosas. El género que prefiero para escribir es la novela, por ser una construcción mayor, donde caben más voces en sus laberintos, en sus balcones hacia el crepúsculo, en sus sótanos. Una novela debe ser como un edificio cuyos ascensores, cuando uno los toma para subir o bajar, siguen su camino más allá del sótano o de la azotea.

E. M.: ¿Qué relación ves entre *La era imaginaria* y la literatura que se produce en Cuba hoy?

R. V. D.: *La era imaginaria* no es más que un producto de su tiempo, marcado por un temperamento peculiar, una reacción determinada ante una realidad. Todos los que han escrito sobre esa novela creen ver un trasfondo político imposible de *definir*. Ese trasfondo son las contradicciones de la revolución cubana. Repito que me interesan todos los tipos humanos, los revolucionarios y los contrarrevolucionarios, las profesoras y los pescadores de cangrejos. ¿Cómo iba a estar ausente el proceso social y político más trascendental de este siglo en Latinoamérica, en una historia de niños y lugareños? En Cuba, hasta las matas de güira están marcadas por la revolución; para bien y para mal. No creo que esa novela se hubiera podido producir dentro de Cuba, a causa del tratamiento libre de la realidad, exento de "fidelidades", que nada tienen que ver con la literatura. Un escritor no es un notario, ni un lavandero ni un teniente de la policía: su labor es desenterrar corrientes de pensamiento, disecar estados de ánimo, atreverse a desentrañar los signos que caracterizan una época. Eso no puede hacerse cuando uno se impone zonas de silencio. Mira, yo no pretendo demostrar que Yoya la Gorda es peor que Pirulí, ni que éste sea más infeliz que su hermano. Existen. Tienen derecho a vivir. ¡Si todos fuéramos como Yoya la Gorda...! Literatura es transfiguración de la experiencia del lenguaje. Eso no pueden hacerlo los panaderos, aunque yo los adore. En Cuba se dice que los escritores no deben expresar sus opiniones (cuando son adversas) sobre el régimen, porque entonces también tendrían derecho a ello los bomberos. Me parece excelente que los bomberos digan lo que piensen, siempre y cuando apaguen primero, profesionalmente, los incendios, pues esa es su función social. Igualmente, los escritores pueden dedicarse a apagar los fuegos los domingos, siempre y cuando sepan cumplir cabalmente su función exclusiva de expresar íntegra y sugestivamente lo que palpita en el alma colectiva de su pueblo. En resumen, lo que tal vez diferencia *La era imaginaria* de lo que se escribe hoy en Cuba, es lo que la hace programática para todo lo que haré: *no hay zonas sagradas, no hay temas santos.* Es muy sencillo. El lenguaje no es patrimonio exclusivo de los patriotas ni de los que no lo son. Tampoco lo es de los escritores. El lenguaje es una creación colectiva que se nutre de los abismos bullentes de la tradición, así como de la dinámica diaria de los pueblos. Y el trabajo del escritor es *simultáneamente* repetir como un papagayo lo que la gente inventa, los modos populares de articulación y de nombrar todo aquello que no eres ni tú, ni Fidel Castro, ni yo, pero que nos hace posibles a todos, mientras enriquece esa creación viviente con sus propias invenciones. ¿No te parece que lo que hacen los grandes escritores, al fin y al cabo, no es más que decir lo que ya todo el mundo sabía, pero de una manera individualizada y esclarecedora? Carlos Fuentes ha dicho que tenemos la obligación de escribir sin concesiones, de modo que nuestros nietos tengan algo que leer que no sea Superman o el Pato Donald. Pues los cubanos tenemos que hacerlo para que no quede solamente de esta época, por un lado las consignas del Granma, y por el otro las estupideces del Diario de las Américas.

E. M.: Un rasgo notable en toda la novela es la presencia de un humor sagaz, inteligente, que divierte, entretiene al lector, a la vez que impide que la novela se convierta en instrumento de un "mensaje". ¿Qué podrías decir sobre el uso del humor?

R. V. D.: El humor sirve para que a la muerte y a los intolerantes les dé complejo de inferioridad. El sentido del humor es tan cubano como el guaguancó. No sé si recuerdas los apodos (casi siempre infamantes) que los cubanos les ponían a sus presidentes. Ya en la época de la colonia, se decía que el gobernador Tacón gobernaba a *taconazos*. Después vino aquella república de guapería matona y putería política, en que la Embajada norteamericana decía siempre la última palabra. Los presidentes se llamaban entonces *Tiburón,* el *Mayoral,* el *Chino,* el *Asno con garras* (que por cierto está enterrado un poco sin gloria en Miami). Después tenemos "el choteo", esa arma ambigua que Don Fernando Ortiz aborrecía. No sin razón, por cierto, ya que chotear sirve para ocultar la ignorancia, para cretinizar a los demás y reprimir a los que disienten, o aplastar las expresiones originales de pensamiento. Pero si encuentras un humor sagaz en mi novela eso me alegra, y se explica, ante todo, porque soy cubano pero también por la interpretación que hago de la picaresca española, que he estudiado minuciosamente. Y porque así percibo yo a los cubanos: no tenemos un sentimiento trágico de la vida, sino tragicómico.

E. M.: ¿Cuándo empezaste a escribir y bajo qué circunstancias?

R. V. D.: A los trece años gané un concurso literario en mi escuela. Más tarde gané en Santa Clara y me mandaron a La Habana. La revolución abrió oportunidades insospechadas para las generaciones nuevas de cubanos. El premio (mi primer reconocimiento literario, supongo) fue unos días buceando en Varadero. Lo que escribí fue un cuento sobre una flor común y corriente, de esas en las que nadie repara en los jardines, que no podía crecer por estar rodeada de un monte muy tupido e impresionante, lleno de formas exuberantes, colores vivos y aromas profundos. El monte no dejaba filtrar ni un solo rayo de sol, y la flor moría. "No es que yo sea cruel —decía el monte— es que sólo soy intrincado". Entonces la flor empezó a crecer serpenteando, se alargó, se enrolló y salió a la luz del sol. Quedó como un adefesio, deforme y monstruosa; pero sobrevivió. Fue lo primero que recuerdo haber escrito.

E. M.: ¿Cómo procedes en la construcción de tus relatos y novelas?

R. V. D.: Tengo que tener *personajes*. Tengo que saber muchos detalles de ellos. ¿Cómo reaccionarán ante ciertas situaciones? Por lo general sé con bastante exactitud cómo empezar y cómo terminar. Trabajo todos los días, sin excepción. La intriga en mis relatos suele ser muy sencilla. Lo importante no es lo que pasa sino a quién. Observa que en la vida real es así. El ejército de los EE.UU. masacrà a siete mil panameños, y la nación se queda tan campante; pero si unos cientos están amenazados en Irak se forma la rebambaramba. Hay que acercar afectivamente el personaje al lector. Esto no significa que uno tenga que describir a los personajes con pelos y señales. Que si tenía los dientes amarillos o sangraba mucho en las menstruaciones; que invariablemente, al entrar en un sitio concurrido, se metía las manos en los bolsillos; que le salían pequeños furúnculos en las nalgas y por eso se sentaba de lado. Cosas así, que yo suelo usar mucho. Pero lo decisivo no es eso. Cuando asistimos al asesinato de K en *El proceso,* conocemos infinidad de detalles: que K colabora, que lo apoyan contra una piedra y que las sucesivas posiciones eran absurdas, incómodas; que los verdugos eran siniestramente corteses. Se nos cuenta con aterrante minuciosidad qué gestos hizo K antes de que la vergüenza fuera a sobrevivirlo. ¿Pero cómo es K? ¿Tiene caspa, padece de asma, qué zapatos usa? No es necesario saberlo. No sabría explicarte por qué a veces hay que presentar a ciertos personajes de una manera, y otras de otra. Es simple intuición.

E. M.: La novela se puede estudiar como una puesta en práctica de la teoría bakhtiniana, a nivel de creación de personajes (ideólogos); el uso del tiempo y el espacio, el ambiente carnavalesco de inversiones y transformaciones... ¿Qué puedes decir sobre la teoría de Bakhtin y la construcción de tu novela?

R. V. D.: Aquí tengo que defraudarte por completo. Yo no he leído a Bakhtin. Y no lo voy a leer. Tengo miedo de que me influya negativamente. Seguiré concibiendo y estructurando mis ficciones de acuerdo a las imprecisiones de mi intuición. Yo creo mucho en la intuición: cosas que siento que es imprescindible hacer de una manera y absolutamente no de otra, sin saber por qué. Cuando *La era imaginaria* se publicó en Suecia, algunos críticos declararon al unísono, como si se hubieran puesto de acuerdo, que ese libro era un ejemplo clásico de las teorías de Bakhtin: yo me quedé como durofrío: "¡Los fósforos —dije— yo a ese Bakhtin no quiero verlo ni en pintura!" Y ahora tú vienes también con que Bakhtin y lo carnavalesco, y lo dialógico y todo eso. Yo te digo, con toda honestidad: nadie sabe cómo es el otro hasta que éste no habla, y el otro tiene una idea muy precaria de ti hasta que tú no le respondes. ¡Ni siquiera los perros son comprensibles cuando no ladran! Hay que dialogar. Esa es, por peregrina que te parezca la afirmación, la razón de ser de los bares y los restaurantes. Y de las novelas. Con Bakhtin o sin él. Y lo del carnaval. Yo he tocado la trompeta en los carnavales de Caibarién. Y en los de Remedios. Estuve a punto de ser trompetista profesional —no de carnaval, sino sinfónico—. Te digo esto para que sepas que el carnaval forma parte de mi bagaje cultural: eso sí que es autobiográfico en la novela, o al menos una adquisición cultural absorbida por mi idiosincrasia. Me da miedo leer a Bakhtin, pero me fascinan los carnavales.

E. M.: ¿Qué autores latinoamericanos lees ahora mismo y cuáles te interesan más?

R. V. D.: De los novelistas latinoamericanos, ahora mismo, al que más admiro es a Carlos Fuentes, un verdadero maestro. Pero hay muchos otros que son muy buenos. Abel Posse, por ejemplo.

E. M.: Y en cuanto a la literatura cubana actual... ¿qué piensas?

R. V. D.: No hay grandes escritores de la revolución, pero sí una literatura definida, bastante diversa y digna, de la revolución. Con altas y bajas y defectos que yo encuentro inaceptables, pero sin la menor duda, existe. Te digo esto porque es una práctica generalizada negar esa verdad de perogrullo. Una literatura revolucionaria sin cúspides, sin grandes obras. El comunismo, que proclamaba ser un sistema superior de organización de la sociedad, no creó una literatura superior. Eso también es una verdad de perogrullo. Pero Cuba es un caso aparte. Un dilema de la revolución es que dio rienda suelta a fuerzas intelectuales que inmediatamente tuvo que reprimir, domesticar y aplastar. Eso ha sido un enorme fracaso del proceso revolucionario. No es misión de la policía suprimir el pensamiento independiente, sino de otros pensadores enfrentar a los supuestos enemigos. Pero lamentablemente, para la burocracia cubana todo pensamiento independiente es hostil. Hasta Lezama que era tan parte integrante de La Habana como El Templete, sufrió una persecución que, por mucho que lo hayan homenajeado póstumamente, será un baldón eterno a la historia de la cultura cubana. Pero bueno, sí, existen obras buenas, admirables, producidas dentro de la revolución. Podría enumerar unas cuantas: toda la obra de Eliseo Diego, de gran sobriedad y valor estético. Varias novelas de Soler Puig, como *El pan dormido* o *El caserón.* Manuel Cofiño tiene también una novela, *La última mujer y el próximo combate,* que no se puede soslayar, así como algunos cuentos *(Andando por ahí, por esas calles).* Miguel Barnet, Pablo Armando Fernández, Roberto Fernández Retamar; por mucho que uno tenga diferencias ideológicas con ellos, sería no ya poco profesional, sino indecente, negar a ciegas la rigurosidad de una gran parte de su obra. Y después tienes a Jesús Díaz, con su novela *Las iniciales de la tierra.* Observa que he excluido a Carpentier, a Guillén y a Lezama, por ser tres consagrados obvios. Lo que hace que la literatura cubana sea mediocre, es la beatería hipócrita y clerical que le impide ser sincera consigo misma y con el pueblo del que surge. Cintio Vitier, por ejemplo, escribió páginas de impresionante honestidad en su libro *De peña pobre.* Pero se nota que hay trabas, tabúes, regiones intransitables. ¡Qué lástima! ¿Cuándo aparecerán las novelas cubanas donde se analice a un alto dirigente corrupto y despótico, donde aparezca un testigo de Jehová discriminado, una muchacha trabajadora e inteligente que de pronto descubre que se ha enamorado de otra, un desertor de la guerra de Angola? ¿Dónde está el reflejo, en la novelística cubana, de la picaresca —no por ingeniosa y graciosa menos despiadada y corrupta— que ha impuesto la escasez y el monopolio de poder del Partido Comunista de Cuba? ¿Y las arbitrariedades jurídicas y laborales, y la imposición de un sistema de prensa mentiroso y mojigato que ha borrado del mapa la prodigiosa tradición cubana de periodismo *de opinión*? La revolución no confía en sus escritores.

E. M.: Para concluir, ¿cómo ves el futuro para la novela hispanoamericana?

R. V. D.: Bueno, no creo que el destino de la novela deba separarse del destino mismo de Hispanoamérica, de sus instituciones, de su situación económica y política. Hispanoamérica está enfrascada en una actividad desesperanzadora y salvaje: *sobrevivir.* Así, a secas. Y no son buenos los tiempos para profecías. Hay, sin embargo, un ansia —también un poco salvaje— de dar cauce a un potencial creador casi telúrico, indoblegable. En el continente y en los ramilletes de islas bajo el viento. ¿No te parece que es casi un misterio que no haya sido el Norte —estuve a punto de decirte revuelto y brutal— desarrollado y despilfarrador, sino el Sur depauperado y miserable, el que haya dado una literatura con nombres como Neruda y Vallejo, Cortázar y García Márquez? ¡Unos cuantos nombres bastarían para fundar una tradición! Mira, sin ser demasiado optimista, creo que la novela hispanoamericana, enraizada en el destino dramático de sus pueblos, será capaz de renovarse siempre y buscarse un lugar digno bajo el sol. No te quepa duda de que así también lo hará la literatura cubana, dentro y fuera de la revolución.

BIBLIOGRAFIA

I. Obras de René Vázquez Díaz:

• NOVELA:

— *La era imaginaria* (Barcelona: Montesinos, 1987). Traducida al sueco y al finés.
— *Querido traidor,* publicada en traducción sueca (Estocolmo: Bonniers, 1989) y en versión finesa (Otava, 1989). Será publicada en España en 1992.

• RELATOS:

— *La precocidad de los tiempos* (Barcelona: Biblioteca Atlántida, 1982).

• POESIA:

— *Trovador americano* (Barcelona: Ambito Literario, 1978)).
— *Tambor de medianoche* (Estocolmo: Editorial Nordam, 1983).
— *Donde se pudre la belleza* (Málaga: Edición Angel Caffarena, 1987).
— *Difusos mapas* (en vías de aparición).

• TEATRO:

— *El último concierto* (Madrid: Editorial Betania, 1992) (estreno: febrero de 1992 en el Teatro Municipal de Malmö (STADSTEATER), en traducción de Jens Norden Hök). Versión radiofónica a partir de febrero-marzo (SVERIGES RIKSRADIO).
— *Dos hombres sin mujer* (será publicada en Málaga en 1992).

• TRADUCCIONES DE LITERATURA SUECA:

— *Textos del ocaso* (Artur Lundkvist, Barcelona, 1984).
— *Muestra de poesía sueca* (Barcelona: HORA DE POESIA, 1986).
— *Pájaro en mano* (Lasse Sodergerg, Barcelona, 1986).
— *La imagen desnuda* (Artur Lundkvist, con dibujos de Antonio Saura, Barcelona, 1987).

— *La huella abrupta* (Ingemar Leckius, Madrid, 1987).
— *Viajes del sueño y la fantasía* (Artur Lundkvist, Barcelona, 1988).
— *Anima* (Birgitta Trotzig, Málaga, 1990).
— *Estrella de la periferia* (Jacques Werup, Málaga, 1990).
— *Flechas contra la luna* (Lasse Soderberg, Málaga, 1990).
— *Confines de la palabra* (Birgitta Trotzig, Madrid, 1991).

II. General

Alter, Robert, *Partial Magic: The Novel as a Self Conscious Genre,* Berkeley, University of California Press, sexta edición, 1975.

Aristóteles, *El arte poética,* Madrid, Espasa Calpe, S. A., 1979.

Bakhtin, Mikhail, *Estética de la creación verbal,* México, Siglo XXI, 1982. Traducción de Tatiana Bubnova.

— *The Dialogic Imagination. Four Essays,* Austin, Texas, University of Texas Press, 1981. Traducción de Caryl Emerson y Michael Holquist.

— *Rabelais and His World,* Cambridge, the M.I.T. Press, 1968. Traducción de Hélène Iswolsky.

— *Problems of Dostoevsky's Poetics,* Minneapolis, University of Minnesota Press, 1984. Traducción de Caryl Emerson.

Barthes, Roland, *The Pleasure of the Text,* New York, Hill and Wang, 1975. Traducción de Richard Miller.

— "The Death of the Author", *Image, Music, Text,* New York, Hill and Wang, 1977. Traducción de Stephen Heath.

Beauvoir, Simone de, *El segundo sexo,* Buenos Aires, Siglo Veinte, 1981, tomo II, cáp. VIII. Traducción de Pablo Palant.

Benveniste, Emile, *Problemas de lingüística general,* Buenos Aires, Siglo XXI, tomo I. Traducción de Juan Almela.

Berger, Brigitte, "Introduction to Helen Diner", *Mothers and Amazons,* New York, Anchor Books, 1973.

Bergson, Henri Louis, *Le rire; essai sur la signification du comique,* Paris, Presses Universitaires de France, 1975, c. 1940.

Blanchot, Maurice, *The Gaze of Orpheus,* New York, Station Hill Press, 1981. Traducción de Lydia Davis.

— *The Space of Literature,* Lincoln, University of Nebraska Press, 1982. Traducción de Ann Smoc.

Booth, Wayne C., *The Rhetoric of Fiction,* Chicago, The University of Chicago Press, 1961.

— *A Rhetoric of Irony,* Chicago and London, The University of Chicago Press, 1974.

Camurati, Mireya, *La fábula en Hispanoamérica,* México, Universidad Autónoma Nacional, 1978.
Cervantes, Miguel de, *Novelas Ejemplares,* ed. Juan Alcina Franch, España, Clásicos y ensayos. Colección Aubí, 1974.
— *El ingenioso hidalgo Don Quijote de la Mancha,* Madrid, Editorial Castalia, c. 1982.
Culler, Jonathan, "Presupposition and Intertextuality", *The Pursuit of the Signs,* Ithaca, Cornell University Press, 1981, pp. 100-118.
Diccionario de la Real Academia de la Lengua Española, décimonovena edición, Madrid, Editorial Espasa Calpe, 1970.
Engels, Friedrich, *The Origin of the Family (private property and the state in the light of the researches of Lewis H. Morgan),* New York International Publishers, 1940.
Foucault, Michel, *Madness and Civilization. A History of Insanity in the Age of Reason,* New York, Vintage Books, 1973. Traducción de Richard Howard.
Freud, Sigmund, "El chiste y su relación con lo inconsciente", *Obras Completas,* Madrid, Editorial Biblioteca Nueva, 1981, tomo I, pp. 1029-1167. Traducción de Luis López Ballesteros y de Torres.
— "El humor", *Obras Completas,* tomo III, pp. 2997-3000.
— "El poeta y los sueños diurnos", *Obras Completas,* tomo II, pp. 1343-1348.
Hamon, Philippe, "Texte et Idéologie", *Poétique,* vol. XII, 49, febrero, 1982, pp. 105-125.
Handwerk, Gary I., *Irony and Ethics in Narrative,* New Haven, Yale University Press, 1985.
Hemingway, Ernest, *The Old Man and the Sea,* New York, Collier Books, Macmillan Publishing Company, 1980.
Hutcheon, Linda. *Narcissistic Narrative. The Metafictional Paradox,* New York, Methuen, 1984.
Irigaray, Luce, *Speculum de l'autre femme,* París, Les Editions de Minuit, 1974.
— *This Sex Which is not One,* Ithaca, Cornell University Press, 1977. Traducción de Catherine Porter.
Jauss, Hans Robert, "On Why the Comic Hero Amuses", *Aesthetic Experience and Literary Hermeneutics,* Minneapolis, University of Minnesota Press, pp. 189-220. Traducción de Michael Shaw.
Kimmins, Charles William, *The Springs of Laughter,* London, Methuen and Co. Ltd., 1928.
Kristeva, Julia, *El texto de la novela,* Barcelona, Editorial Lumen, 1981. Traducción de Jordi Llovet.

Lezama Lima, José, *Introducción a los vasos órficos,* Barcelona, Barral Editores, 1971.

Martínez, Z. Nelly, "El carnaval, el diálogo y la novela polifónica", *Hispamérica,* 6-7, 1977-78, pp. 3-21.

Millet, Kate, *Sexual Politics,* Garden City, New York, Doubleday and Company, 1970.

Moi, Toril, *Teoría literaria feminista,* Madrid, Cátedra, 1988. Traducción de Amáia Bárcena.

Rich, Adrienne, *Of Woman Born. Motherhood as Experience and Institution,* New York, W. W. Norton and Company, 1986.

Riffaterre, Michael, "Intertextual Scrambling", *Romanic Review,* 68, 1977, pp. 197-206.

Rodríguez Monegal, Emir, "Carnaval/antropofagia/parodia", *Revista Iberoamericana,* núms. 108-109, 1979, pp. 401-412.

Sholes, Robert, *The Fabulators,* New York, Oxford University Press, 1967.

— "Metafiction", *Iowa Review,* vol. I, núm. 4, fall 1970, pp. 100-115.

Spender, Dale, *Man Made Language,* London and New York, Routledge and Kegan Paul, 1980.

Stoller, Robert J., *Sex and Gender,* New York, Science House, 1968.

Stuart Mill, John, *The Subjection of Women,* World's Classic Series, London, Oxford University Press, 1966.

Todorov, Tzvetan, *The Poetics of Prose,* Ithaca, New York, Cornell University Press, 1977. Traducción de Richard Howard.

Unamuno, Miguel de, *Niebla,* ed. M. J. Valdés, Madrid, Ediciones Cátedra, c. 1982.

Waugh, Patricia, *Metafiction. The Theory and Practice of Self-Conscious Fiction,* London and New York, Methuen, 1984.

Young, Allan, *Gays under the Cuban Revolution,* San Francisco, California, Grey Fox Press, 1981.

Zimbalist Rosaldo, Michelle, *Woman, Culture and Society: A Theoretical Overview,* Standford, California, Standford University Press, 1974.

Este libro se terminó de imprimir
el día 20 de enero de 1992.

editorial BETANIA
Apartado de Correos 50.767
28080 Madrid, ESPAÑA.
Teléf. 314 55 55

CATALOGO

- **COLECCION ENSAYO:**

— *Los días cubanos de Hernán Cortés y su lucha por un ideal,* de Angel Aparicio Laurencio, 48 pp., 1987. ISBN: 84-86662-09-5. PVP: 500 ptas. ($ 6.00).

— *Desde esta Orilla: Poesía Cubana del Exilio,* de Elías Miguel Muñoz, 80 pp., 1988. ISBN: 84-86662-15-X. PVP: 800 ptas. ($ 10.00).

— *Alta Marea. Introvisión crítica en ocho voces latinoamericanas: Belli, Fuentes, Lagos, Mistral, Neruda, Orrillo, Rojas, Villaurrutia,* de Alicia Galaz-Vivar Welden, 120 pp., 1988. ISBN: 84-86662-23-0. PVP: 900 ptas. ($ 12.00).

— *Novela Española e Hispanoamericana contemporánea: temas y técnicas narrativas,* de María Antonia Beltrán-Vocal, 504 pp., 1989. ISBN: 84-86662-46-X. PVP: 2.000 ptas. ($ 25.00).

— *El discurso dialógico de* La era imaginaria *de René Vázquez Díaz,* de Elena M. Martínez, 104 pp., 1992. ISBN: 84-86662-87-7. PVP: 1.000 ptas. ($ 10.00).

— *El Ranchador de Pedro José Morillas,* de Adriana Lewis Galanes, 80 pp., 1991. ISBN: 84-86662-94-X. PVP: 1.000 ptas. ($ 10.00).

— *Poesías de J. F. Manzano, esclavo en la isla de Cuba,* de Adriana Lewis Galanes, 152 pp., 1992. ISBN: 84-86662-92-3. PVP: 1.500 ptas. ($ 15.00).